ALIMENTATION
PARENTS/ENFANTS

UN GUIDE POUR AIDER VOS ENFANTS À BIEN S'ALIMENTER

LES ÉDITIONS LA SEMAINE

Charron Éditeur inc.
Une société de Québecor Média
955, Amherst
Montréal (Québec) H2L 3K4

Directrice des éditions : Annie Tonneau
Coordonnateur aux éditions : Jean-François Gosselin
Direction artistique : Lyne Préfontaine
Conception : Martin Allard
Éditrice conseil : Chantal Lacroix
Rédaction : Martin Allard et Michèle Lemieux
Réviseures-correctrices : Marie Théorêt, Françoise Bouchard
Photographies et stylisme culinaire : Sophie Carrière
Stylisme culinaire et réalisation des recettes : Antoine Côté Robitaille
Nutritionniste : Marie-Ève Richard

Martin Allard est habillé par
la boutique Markus pour hommes

Martin est coiffé par le salon Atmosphere coiffure

Atmosphère ⓐⓒ Coiffure

Remerciements Gouvernement du Québec – Programme de crédit d'impôt pour l'édition de livres
– Gestion SODEC

L'Éditeur bénéficie du soutien de la Société de développement
des entreprises culturelles du Québec pour son programme d'édition.

Canadä

Nous reconnaissons l'aide financière du gouvernement du Canada par l'entremise du Fonds du livre du Canada
pour nos activités d'édition.

© Charron Éditeur Inc.
Dépôt légal : quatrième trimestre 2016
Bibliothèque et Archives nationales du Québec
Bibliothèque et Archives Canada
ISBN : 978-2-89703-386-6
Imprimé au Canada

Martin Allard
N.D.(Phy.), Phy.A.

ALIMENTATION
PARENTS/ENFANTS
UN GUIDE POUR AIDER VOS ENFANTS
À BIEN S'ALIMENTER

POUR UNE MEILLEURE... gestion du stress et de l'anxiété, de la performance scolaire et sportive, de la concentration et de l'énergie

ÉDITIONS LASEMAINE

DISTRIBUTEURS EXCLUSIFS

• Pour le Canada et les États-Unis :
MESSAGERIES ADP
*2315, rue de la Province
Longueuil (Québec) J4G 1G4
Tél. : 450 640-1237
Télécopieur : 450 674-6237
* une division du Groupe Sogides inc.,
filiale du Groupe Livre Québecor Média inc.

• Pour la France et les autres pays :
INTERFORUM editis
Immeuble Paryseine, 3, Allée de la Seine
94854 Ivry CEDEX
Tél. : 33 (0) 4 49 59 11 56/91
Télécopieur : 33 (0) 1 49 59 11 33

Service commande France métropolitaine
Tél. : 33 (0) 2 38 32 71 00
Télécopieur : 33 (0) 2 38 32 71 28
Internet : www.interforum.fr

Service commandes Export —
DOM-TOM
Télécopieur : 33 (0) 2 38 32 78 86
Internet : www.interforum.fr
Courriel : cdes-export@interforum.fr

• Pour la Suisse :
INTERFORUM editis SUISSE
Case postale 69 — CH 1701 Fribourg — Suisse
Tél. : 41 (0) 26 460 80 60
Télécopieur : 41 (0) 26 460 80 68
Internet : www.interforumsuisse.ch
Courriel : office@interforumsuisse.ch

Distributeur : OLF S.A.
ZI. 3, Corminboeuf
Case postale 1061 — CH 1701 Fribourg — Suisse
Commandes : Tél. : 41 (0) 26 467 53 33
Télécopieur : 41 (0) 26 467 54 66
Internet : www.olf.ch - Courriel : information@olf.ch

• Pour la Belgique et le Luxembourg :
INTERFORUM BENELUX S.A.
Fond Jean-Pâques, 6B-1348 Louvain-La-Neuve
Tél. : 00 32 10 42 03 20
Télécopieur : 00 32 10 41 20 24

À ma famille, à mes amis et à leurs enfants.

À ma filleule Tracy.

Comment utiliser ce livre

Afin de faciliter la lecture de ce livre, il a été divisé en trois parties.
La première s'adresse aux parents, la seconde aux enfants.
La troisième rassemble les recettes que je vous propose et
que parents et enfants pourront réaliser ensemble.

   L'image du superhéros vous invite à consulter la deuxième partie
du livre où l'information est expliquée aux enfants de manière
simplifiée et surtout abondamment illustrée.

NOTE AUX LECTEURS
Martin Allard n'a pas la prétention de soigner ni de traiter quelque pathologie que
ce soit. Les conseils et recommandations contenus dans ce livre sont basés sur une
expertise acquise en plus de 25 années de pratique et n'engagent que l'auteur. Cet
ouvrage ne comporte pas d'avis médicaux. Nous vous suggérons de consulter un médecin
ou un professionnel de la santé pour des conseils spécifiques à votre condition ou à celle
de votre enfant. Ce livre a été écrit à partir des références scientifiques disponibles en
2016.

Remerciements

Je tiens à remercier ma mère Jacqueline et son conjoint André, mon père Jean-Marie et sa conjointe Michèle. Dès mon enfance, mes parents m'ont inculqué la valeur d'une saine alimentation et ces enseignements portent encore leurs fruits.

Mes remerciements à Chantal Lacroix qui croit en moi et qui me permet de réaliser ce beau projet; à Éric Belley, manager et partenaire, mais avant tout ami ; et à Michèle Lemieux pour sa plume et la coécriture de ce livre.

TABLE DES MATIÈRES

« LES PARENTS DOIVENT
SE RÉAPPROPRIER LA RESPONSABILITÉ
D'OFFRIR **LA MEILLEURE ALIMENTATION
POSSIBLE À LEUR ENFANT.** »

Martin Allard N.D.(Phy.), Phy.A.

PRÉFACE

➤➤ C'est après avoir reçu de nombreux parents en consultation que Martin Allard a eu l'idée d'écrire ce livre. Les préoccupations que ces derniers formulaient au sujet de l'alimentation de leur enfant étaient si nombreuses que le naturopathe a eu envie de donner son point de vue éclairé sur la question.

Conscients d'avoir une influence sur le comportement alimentaire de leur rejeton, ne serait-ce que parce qu'ils remplissent le panier d'épicerie et qu'ils veillent quotidiennement au contenu des assiettes et des boîtes à lunch, les parents sont nombreux à vouloir faire en sorte que leur enfant s'alimente le mieux possible, mais comment y parvenir?

Grâce à un discours simple et accessible, Martin Allard nous invite à poser un regard différent sur le contenu de l'assiette. Comme il le rappelle à juste titre, les aliments qu'on y dépose influent sur la capacité à se concentrer, sur la performance à l'école et dans les sports, sur le niveau d'énergie, et permettent aussi de stabiliser l'humeur et de maîtriser l'anxiété. Dans ce cas, pourquoi ne pas utiliser ces arguments pour séduire nos enfants avec une assiette qui leur permettra de vivre leurs passions et de se déployer pleinement?

Répéter à nos enfants qu'il faut bien manger pour rester en santé ne fonctionne pas. La santé, à cet âge, est souvent un bien acquis. Alors, au lieu de nous perdre en arguments abstraits, misons sur les passions et les motivations de nos enfants pour les convaincre. C'est en leur rappelant qu'ils pourront se dépasser dans un sport ou être meilleurs à l'école que nous arriverons à les intéresser au contenu de leur assiette.

Comme tous les parents, je dois composer quotidiennement avec la nécessité d'inculquer de saines habitudes à ma fille, ce qui n'est pas toujours simple, nous en conviendrons tous. Interpeller Camly sur ses passions me semble plus logique. Pour obtenir sa collaboration, il me faut parler son langage.

Je connais Martin Allard depuis quelques années, notamment parce qu'il participe à mes émissions à titre de naturopathe. J'ai vu ce que ses bons conseils ont fait pour plusieurs de ses clients et, pour cette raison, j'ai édité son premier livre, *Naturopathe des stars*. Avec *Alimentation pour parents/enfants*, il élargit ses horizons. Ce livre sera utile à toute la famille.

Photo : Marco Weber

Grâce à son expertise, Martin est en mesure d'affirmer qu'il existe un lien indéniable entre l'alimentation et le TDA/H. Dans ma vie personnelle et dans le cadre de mes émissions de télévision, je côtoie beaucoup d'enfants diagnostiqués TDA/H. Ils sont de plus en plus nombreux. On estime qu'environ 4 à 7% des enfants en sont atteints. C'est énorme! L'alimentation que Martin suggère favorise une meilleure concentration, une énergie accrue de même qu'une gestion de l'anxiété plus efficace. On peut donc imaginer le rôle de premier plan que cette alimentation peut jouer dans le TDA/H! L'alimentation ne peut en aucun cas remplacer la médication, mais elle est un outil incontournable dans la boîte à outils des parents. Et qui sait, ces outils serviront peut-être aussi à tous ces parents qui reçoivent de plus en plus de diagnostics au même moment que leur enfant.

Le contenu de l'assiette a un impact notable sur les petits et les grands, nul ne peut en douter. Grâce à une approche qui se distingue, Martin nous permet d'entrevoir des solutions pour aider nos enfants à se réaliser pleinement. Car après tout, l'adage qui dit que nous sommes ce que nous mangeons semble plus vrai que jamais.

Chantal Lacroix
Maman de Camly

RÉSUMÉ DU PARCOURS DE **MARTIN ALLARD**

» Martin Allard œuvre dans le domaine du mieux-être et de la santé depuis plus de 25 ans. Il est naturopathe spécialisé en phytothérapie attesté par l'Association des naturopathes et naturothérapeutes spécialisés en phytothérapie du Québec (ANNSPQ) depuis 1994 et membre du comité de discipline de cette même association. Il est fondateur d'une clinique spécialisée en perte et en gestion de poids.

Martin Allard est la référence en matière de naturopathie et nutrition auprès des artistes. Parmi ses clients: Charles Lafortune, François Morency, Laurent Paquin, Patrick Bruel, Sophie Prégent, Claude Legault, Rachid Badouri, Sugar Sammy, Anne Dorval, Adib Alkhalidey, Salomé Corbo, Mario Tessier, Maxime Landry, Hélène Bourgeois-Leclerc, Dave Morissette, Marc Dupré, Sylvain Larocque, Mario Pelchat, Gino Chouinard, Michel Barrette, Anaïs Favron, Marie-Mai, Julie Snyder et Éric Lapointe.

Il est le naturopathe le plus médiatisé au Québec. Il a été coach nutrition et naturopathe des émissions *Le Parcours* et *Maigrir pour gagner* aux côtés de Chantal Lacroix. Il est la référence pour différentes stations de télé et de radio autant à Montréal qu'en région. On le voit à titre de chroniqueur invité à *Salut, Bonjour!* (TVA); il a été chroniqueur régulier aux émissions de François Morency à radio Énergie ; il est occasionnellement chroniqueur invité aux côtés d'Isabelle Maréchal au 98,5 FM. Il est conférencier et auteur du best-seller *Naturopathe des stars*. Des gens de l'extérieur de la province et du pays le consultent, sa réputation déborde maintenant les frontières du Québec.

Parmi ses réalisations:

» Il a été le plus jeune phytothérapeute diplômé du Québec.

» Il a géré son propre centre de conditionnement physique et a excellé dans l'univers du culturisme où il a remporté plusieurs titres prestigieux: Monsieur Montréal; Championnat provincial du Québec; Monsieur Canada.

» Il a obtenu sa carte professionnelle de l'International Federation of Bodybuilding (IFBB) qui lui a permis d'accéder à la même association professionnelle qu'Arnold Schwarzenegger.

» Il a été conseiller en nutrition et consultant technique pour différents laboratoires, fabricants et entreprises dans le domaine de la nutrition et de la santé. Il a été le lien privilégié entre ces entreprises, les médecins et les pharmaciens.

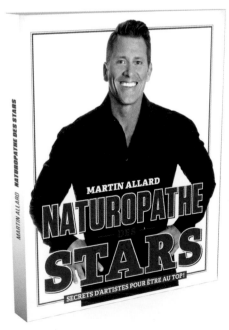

INTRODUCTION

» Les enfants passent le tiers de leur vie à l'école. Ils y apprennent à lire, à écrire, à compter. Avec l'aide de professeurs, ils cultivent leur esprit pour atteindre le plein développement de leurs capacités intellectuelles. Parallèlement à ces enseignements, combien de temps accorde-t-on à la mise en place des fondations d'une bonne santé à court, à moyen et à long terme? Je vous laisse répondre à cette question...

Lorsqu'on demande aux adultes ce qui leur tient le plus à cœur, la majorité d'entre eux répondent qu'ils souhaitent rester en santé. Nous sommes tous d'accord pour dire que c'est la chose la plus précieuse qui soit. La santé s'acquiert et s'entretient entre autres grâce à une saine alimentation.

Les habitudes alimentaires acquises pendant l'enfance nous suivent toute notre vie durant. Il est démontré que c'est entre l'âge de 2 et 8 ans que les enfants développent leurs valeurs en s'inspirant de leurs parents qui sont de véritables modèles pour eux. Puis, vers l'âge de 8 ans, c'est la société qui prend la relève en offrant des modèles de toutes sortes. Certains sont positifs, d'autres le sont moins.

Puisque les influences se multiplient autour de l'âge de 8 ans, il est d'autant plus important que les parents continuent d'incarner des modèles positifs tout au long de l'enfance. Si ses parents s'alimentent mal, non seulement l'enfant subira cette influence, mais il les imitera en adoptant de mauvais comportements alimentaires.

Je crois que nous sommes tous concernés. En tant que parents, mais aussi en tant qu'adultes sans enfant, nous avons tout à gagner à donner l'exemple en adoptant une saine alimentation. Et contrairement à ce que certains peuvent penser, manger sainement est accessible à tous les budgets.

Pour la première fois dans l'histoire de l'humanité, les jeunes sont confrontés à une alimentation industrialisée, remplie d'additifs qui ont la propriété de perturber leurs mécanismes naturels de croissance. En tant qu'adultes, nous devons intervenir et assurer une éducation alimentaire adéquate afin que les enfants grandissent en santé et qu'ils puissent, une fois devenus adultes, transmettre à leur tour cet enseignement.

Les chiffres actuellement disponibles sont alarmants: l'excès de poids touche plus de 50% des adultes et la tendance à l'embonpoint et à l'obésité est aussi notable chez les enfants[1]. L'excès de poids chez les jeunes entraîne non seulement une mauvaise santé, mais il leur impose des restrictions physiques qui ont des conséquences sur leurs activités sportives et leur vie sociale. C'est sans parler de leur estime personnelle et de leur confiance en soi.

Pour toutes ces raisons, il faut commencer à inculquer des valeurs alimentaires positives le plus tôt possible. Il faut commencer maintenant.

Ce livre s'adresse aux parents qui désirent offrir ce qu'il y a de mieux à leur enfant. Il les aidera à mettre en place un système simple afin de développer de saines habitudes alimentaires de manière concrète et efficace. On y propose une assiette fonctionnelle qui favorise une plus grande énergie, une concentration accrue, une meilleure humeur, des performances scolaires et sportives supérieures. Selon les activités au programme durant la journée (études ou sport), les parents trouveront des suggestions de repas et de collations adaptés aux besoins de leur enfant.

Ce livre s'adresse aussi aux enfants qui souhaitent grandir en santé, avoir de l'énergie, s'amuser, faire du sport, réussir leurs études. Les conseils qui leur sont adressés ont pour but de les aider à optimiser leur développement et à se réaliser pleinement.

Cet ouvrage résume ma vision quant à l'alimentation, la nutrition et la diététique. Je n'ai pas la prétention de répondre à toutes les questions, mais je souhaite éveiller un intérêt envers l'alimentation de nos enfants. Si j'atteins cet objectif, j'aurai le sentiment d'avoir rempli ma mission.

Martin Allard

---

1 Source: publications.gc.ca/Collection-R/Statcan/82-003-XIF/82-003-XIF2005003.pdf (p. 41)

POURQUOI AVOIR ÉCRIT UN LIVRE SUR L'ALIMENTATION DES ENFANTS

» Depuis le début de ma pratique, des parents qui me consultent pour eux-mêmes finissent invariablement par me poser la même question: «Martin, est-ce que mon enfant peux suivre tes recommandations?» La réponse est oui. Mon approche nutritionnelle est singulière, mais elle est destinée à tous les membres de la famille, parents et enfants.

Depuis 20 ans à peine, les choses ont changé. Les jeunes sont beaucoup plus sédentaires. Ils bougent moins et sont stationnés de longues heures devant leurs écrans. Ils sont sur-sollicités sur le plan alimentaire. On leur offre une abondance d'aliments pour la plupart transformés et trop sucrés. Ces sucres sont omniprésents dans les assiettes, les boîtes à lunch et à la cafétéria. Je considère la proposition du Guide alimentaire canadien trop sucrée, mais encore, elle semble bien inoffensive face aux nouveaux aliments transformés, industrialisées qui sont plus présents que jamais dans notre société.

Des parents débordés et souvent mal informés face à l'alimentation essaient tant bien que mal de s'y retrouver. De nos jours, on entend tout et son contraire. Ce livre se veut un outil pour les aider. L'objectif principal est d'éloigner les enfants et leurs parents de ces aliments transformés, de réduire la consommation de sucre et de proposer une méthode simple et adaptée aux besoins des enfants et de toute la famille.

Les sucreries et autre aliments goûteux font partie de l'alimentation des enfants. Je ne suggère pas de les en priver, mais de reprendre le contrôle sur les quantités et offrir des alternatives.

Je n'ai pas d'enfant, je suis par contre parrain, et je prends mon rôle très à coeur.

Pour l'écriture de ce livre, j'ai consulté des professionnels, des spécialistes, mais j'ai surtout écouté des parents. Je me permets donc de vous expliquer ma philosophie face à l'alimentation d'aujourd'hui en espérant qu'elle réponde à vos questions.

J'espère que ce livre deviendra une référence pour toute votre famille.

Martin Allard

1re PARTIE
POUR LES PARENTS

DÉVELOPPER DE SAINES HABITUDES ALIMENTAIRES

Mes recommandations de base

» Une alimentation saine ne repose pas uniquement sur la rigueur, elle implique aussi la notion de plaisir. On doit en tenir compte en élaborant le menu de son enfant.

» Un enfant ne devrait jamais être soumis à un régime alimentaire ou à une restriction alimentaire, à moins d'avoir reçu un avis médical.

» Le changement des habitudes alimentaires s'effectue progressivement et toujours en collaboration avec l'enfant, un pas à la fois.

» Aux parents qui se sentent coupables de la manière dont leur enfant s'alimente, je rappelle qu'il n'est jamais trop tard pour changer les choses.

Le plus bel héritage qu'on puisse léguer à son enfant est sans conteste la capacité de bien se nourrir. Ce n'est pas toujours facile, mais tous les petits gestes posés au quotidien deviendront éventuellement de grands acquis dans sa vie. Une saine éducation alimentaire inculquée dès l'enfance et soutenue tout au long de cette période permet de développer de bonnes habitudes.

L'assiette fonctionnelle

Comme base d'une saine alimentation, je vous propose l'assiette fonctionnelle. Elle contient tous les nutriments essentiels qui permettront à l'enfant de mettre toutes les chances de son côté pour croître, se développer et rester en santé tout au long de sa vie, tout en conservant la notion de plaisir à table. Mon approche se distingue de celle du Guide alimentaire canadien qui repose sur 4 groupes alimentaires. Je considère que le corps ne reconnaît pas un produit laitier, une viande ou même une céréale, mais plutôt les protéines, les glucides, les vitamines et minéraux, de même que les bons gras qu'ils contiennent. **Il ne sera donc pas question de groupes alimentaires, mais de protéines, de glucides et de lipides.**

PROTÉINES   GLUCIDES   LIPIDES

Aider notre enfant à faire de meilleurs choix

L'histoire a démontré qu'il est de loin plus utile d'enseigner à pêcher que de donner du poisson. C'est dans cet esprit qu'on peut encourager les enfants à effectuer les meilleurs choix alimentaires pour leur santé, et ce, dès leur plus jeune âge.

Favoriser l'autonomie

Le jour où les enfants sont seuls à choisir ce qu'ils mangent arrive bien assez tôt, que ce soit chez les amis, à la cafétéria de l'école ou encore au restaurant. Pour cette raison, on doit les outiller pour qu'ils puissent devenir pleinement autonomes en les encourageant à opter pour les aliments qui proviennent de la nature, c'est-à-dire le moins transformés possible. Je vous expliquerai comment dans ces pages.

Les bienfaits de cette alimentation

Les avantages liés à l'alimentation que je propose aux enfants sont nombreux. En voici quelques-uns.

1. Elle améliore la mémoire, la concentration et, par le fait même, les performances scolaires.
2. Elle permet une meilleure gestion du stress et de l'anxiété.
3. Elle joue un rôle notable sur l'humeur en la stabilisant.
4. Son apport plus élevé en protéines procure un sentiment de satiété. L'enfant a moins tendance à manger de mauvais glucides (sucres) et des desserts après ou entre les repas.
5. Les protéines permettent de soutenir efficacement le développement de la masse musculaire, un élément essentiel à la croissance.
6. Le métabolisme de base est plus efficace, l'enfant est en mesure de dépenser plus d'énergie durant la journée.
7. L'enfant consomme moins d'aliments transformés et d'additifs alimentaires, ce qui a un impact positif sur sa santé.
8. Elle favorise de meilleures performances sportives.
9. Son impact sur la santé globale est notable.
10. Elle agit en prévenant le diabète, l'obésité et le cancer.

Diabète et obésité

Parmi les avantages non négligeables de cette alimentation, notons qu'elle diminue les risques de développer certaines maladies liées au dérèglement glycémique comme le diabète de type 2 et l'obésité. De nos jours, on pose de plus en plus de diagnostics de diabète d'adulte (de type 2) chez les enfants. Cette explosion de cas serait une conséquence de notre alimentation transformée et trop sucrée.

Cancer

Des études démontrent qu'une saine alimentation pourrait contribuer à réduire les cas de cancer. Selon un article du Dr Richard Béliveau intitulé *L'impact de la mauvaise alimentation sur le développement du cancer*, l'alimentation joue un rôle prépondérant. «Selon les dernières observations du Fonds Mondial de la Recherche contre le Cancer publiées en 2007, on estime que 30% de tous les cancers sont directement reliés à la nature du régime alimentaire des individus, ce pourcentage pouvant même atteindre jusqu'à 70% dans le cas des cancers du système gastro-intestinal (œsophage, estomac et côlon). Parmi les facteurs alimentaires ayant le plus d'influence sur le développement du cancer, de nombreuses études épidémiologiques ont montré que la consommation de fruits et légumes était associée à une baisse importante du risque de développer la maladie[2].» D'où l'importance d'inculquer de saines habitudes alimentaires le plus tôt possible durant l'enfance. **Le cancer ne s'attrape pas, il se développe sur plusieurs années dès notre enfance.**

D'heureuses conséquences pour toute la famille

Proposer cette assiette fonctionnelle à votre enfant aura d'heureuses conséquences pour toute la famille. Parole de Martin Allard, les parents aussi en bénéficieront! Et qui sait: elle permettra peut-être à vos enfants de devenir des vecteurs de changement pour l'avenir.

2 Source: www.richardbeliveau.org

LE DÉJEUNER

voir page 93 dans la seconde partie du livre consacrée aux enfants

Le déjeuner est un repas incontournable, comme le dîner et le souper. En prime, il donne le coup d'envoi à la journée et met un terme au jeûne imposé par la nuit de sommeil. Pour cette raison, il porte bien son nom: dé-jeûner ou encore interrompre le jeûne.

Déjeuner dès le sortir du lit

Tout comme la lumière du jour, le premier repas est un déclencheur d'énergie qui envoie au corps un signal précis: c'est le temps de commencer sa journée. Manger au réveil met le corps en production d'énergie et active le cerveau. Pour cette raison, **les enfants comme les adultes devraient idéalement toujours déjeuner dans l'heure qui suit leur réveil.**

Les déjeuners populaires

On a tendance à faire du déjeuner un repas trop concentré en sucres qui ne tient pas compte des besoins réels de l'enfant. Rôties de pain blanc ou céréales commerciales, confitures ou tartinades à la noisette populaires et un grand verre de jus de fruits offrent un départ médiocre à l'enfant.

Les conséquences d'un déjeuner trop riche en sucres et pauvre en protéines se feront sentir très rapidement. La table est mise pour que l'enfant ressente, au cœur de la matinée, une panne d'énergie subite, des problèmes de concentration et même des signes d'hyperactivité.

Faisons ensemble le tour des aliments couramment consommés au déjeuner.

LES CÉRÉALES

Il existe deux grandes catégories de céréales.

1- Les céréales dites naturelles

Elles sont faites à partir de grains entiers qui n'ont pas été trop transformés. Elles offrent une valeur nutritive plus intéressante en raison de leur teneur en vitamines, minéraux et antioxydants naturellement présents dans le grain. Elles contiennent des enzymes essentiels à la croissance. Les grains constituent aussi une excellente source de fibres.

2- Les céréales dites commerciales

Elles sont faites à partir de grains qui ont été transformés. Souvent, on ne reconnaît même plus la forme du grain d'origine. Ces céréales sont à proscrire le plus possible, car elles entrent dans la catégorie des friandises. Elles contiennent beaucoup trop de sucres, mais peu d'aliments nutritifs. Le produit final a été tellement raffiné et transformé qu'on a dû ajouter des éléments nutritifs pendant le processus. On sait pourtant que la biodisponibilité des minéraux est à son meilleur dans les aliments naturels. Oui, il y a un apport nutritif associé aux vitamines et minéraux qu'on a ajoutés aux céréales transformées, mais à quel prix!

Que penser des céréales granola?

Plusieurs céréales granola ont été transformées et sous leur aspect prétendument santé, elles ne sont plus nécessairement des céréales dites naturelles. On leur a ajouté des sucres, certaines sont même faites à partir de céréales raffinées. Lisez les étiquettes avant de faire votre choix.

Le gruau: un bon choix

Le gruau est une des céréales les plus riches en protéines. Un sachet de cuisson rapide peut faire l'affaire, à condition qu'il porte la mention «Réduit en glucides» ou «Légèrement sucré». On pourra l'aromatiser avec de la cannelle ou de l'extrait de vanille naturelle et le compléter avec une source de protéines telle qu'une ou deux cuillères à thé de beurre d'amande ou de beurre d'arachide naturel, ou encore un œuf.

À titre d'exemple, voici 3 choix de céréales qui répondent à 3 critères spécifiques: leur valeur nutritionnelle est celle qui se rapproche le plus de mes recommandations; elles sont disponibles et faciles à se procurer; leur prix est abordable.

Victoire plus protéines

Le Choix du Président

Shredded Wheat'n Bran

Post Cereal

Fibre 1 croquantes originales

General Mills

Les colorants

Ne vous laissez pas séduire par les couleurs attrayantes de certaines céréales transformées qui rappellent les fruits. La plupart du temps, elles sont obtenues à partir de colorants de synthèse, des substances à éviter. Par ailleurs, les colorants alimentaires sont pointés du doigt dans le cas de problèmes de troubles d'attention. On soupçonne qu'il puisse exister un lien entre ces substances et le TDA/H.

! À surveiller

Quand on offre des céréales à son enfant, on recherche celles qui contiennent le moins de sucres et la plus haute teneur en protéines possible.

Pour une portion d'environ 2/3 de tasse

» Elles contiennent un maximum de 15-20 g de glucides (pour un maximum de 8 g de sucre).
» Elles contiennent au moins entre 3 et 5 g de fibres.
» Elles contiennent idéalement 5 g de protéines et plus.

Bonifier les céréales en protéines

On peut bonifier les céréales et augmenter leur valeur protéique ou nutritives de plusieurs façons:

- en ajoutant une boisson d'amande non sucrée;
- en les combinant à du lait écrémé;
- en les accompagnant de noix ou d'amandes.

Amener son enfant à faire la transition entre les céréales transformées et les céréales nutritives

Si votre enfant consomme des céréales commerciales et que vous souhaitez effectuer une transition vers des céréales complètes, voici la marche à suivre.

» Selon le rythme choisi, on peut effectuer cette transition sur une à trois semaines.

» Dans les céréales transformées que l'enfant consomme habituellement, on remplace 25% des céréales habituelles par des céréales nutritives.

» Ensuite, pendant une semaine ou deux, selon l'enfant, on adopte le ratio 50-50.

» Puis, pour une autre semaine ou deux, on propose 75% de céréales nutritives par rapport à 25% de céréales transformées.

» Enfin, on élimine les céréales transformées pour ne manger que des céréales nutritives.

La durée de conservation des céréales commerciales

Avez-vous remarqué que certaines céréales commerciales peuvent rester sur les tablettes pendant des années sans se détériorer? Le phénomène est imputable au BHA et au BHT dont l'intérieur du sac est enduit et qui permet aux céréales de demeurer sèches. «Ces antioxydants synthétiques peuvent causer des réactions allergiques de la peau. Chez les rats et les souris, l'exposition à long terme à de fortes doses de BHT entraîne des problèmes au foie, à la glande thyroïde et aux reins, et, dans certains cas, des tumeurs[3].»

LE PAIN

Comme pour les céréales, on choisit son pain à base de grains entiers et contenant le moins de glucides possible pour un maximum de valeur nutritionnelle. Une tranche de pain devrait contenir un maximum de 10 à 12 grammes de glucides.

À titre d'exemple, voici 3 choix de pains qui répondent à 3 critères spécifiques: leur valeur nutritionnelle est celle qui se rapproche le plus de mes recommandations; ils sont disponibles et faciles à se procurer; leur prix est abordable.

Le pain allongé intégral
de St-Méthode

Le pain multigrains et tournesol
de Bon Matin

Le pain multigrain avec quinoa
de Weight Watchers (les portions sont plus petites)

---

3 Source: Marie Breton, diététiste, Coup de pouce, octobre 2013.

La combinaison idéale

Le pain de grains entiers devrait être combiné à une bonne source de protéines telle qu'un œuf, du beurre d'arachide naturel, du beurre de noix ou du beurre d'amande.

Les pièges à éviter

Les confitures de fruits, même dites naturelles, sont très riches en sucre. Il est préférable de les remplacer par des beurres de noix, de noisette ou d'arachide naturel.

CHOISIR SON BEURRE DE NOIX

Une lecture judicieuse de l'étiquette s'impose. Il vaut mieux acheter un produit sans sucre ajouté. Un beurre de noix doit contenir des noix, parfois quelques huiles végétales, mais rien d'autre.

» Un truc

On recherche la mention «Naturel» sur l'étiquette. On élimine alors les gras hydrogénés et les mauvais produits ajoutés.

Les tartinades à la noisette populaires

On me demande souvent si les tartinades à la noisette populaires sont bonnes ou mauvaises pour la santé. Ma réponse à cette question est claire et sans équivoque: non, elles ne font pas partie des aliments «santé».

Que trouve-t-on dans ce produit?

On y trouve beaucoup de sucre, de l'huile de palme modifiée (un gras très controversé), quelques noisettes, du cacao, du lait écrémé en poudre, de la poudre de lactosérum, de la lécithine de soya et/ou de tournesol, de la vanilline.

Pourquoi en limiter la consommation?

Ce type de tartinade ne devrait pas faire partie de l'alimentation de l'enfant. Elle contient beaucoup trop de sucres, de gras et d'additifs alimentaires et peut même provoquer la dépendance. Souvent, lorsque l'enfant consomme ce genre de tartinade à la noisette populaire, il n'a plus d'appétit pour les autres aliments qui lui sont bénéfiques: les protéines et les produits céréaliers nutritifs.

Pour ces raisons, elles se classent parmi les friandises à offrir à l'enfant de manière occasionnelle.

La dépendance aux tartinades à la noisette populaires

La dépendance aux tartinades à la noisette populaires n'est pas rare. Certains de ces produits renferment les deux pires conditionneurs pour le cerveau: le gras et le sucre. Leur effet synergique est redoutable! Ils conditionnent l'enfant à en consommer, encore et encore! Plusieurs ne peuvent plus s'en passer. Dans certains cas, on peut parler de dépendance.

5 faits sur les tartinades à la noisette populaires

1- Elles occupent plus de 80% des parts de marché dans leur catégorie.
2- Elles font partie des déjeuners les plus consommés dans le monde.
3- Elles contiennent 60% de sucre et de gras, ce qui en fait un aliment trop sucré et trop gras.
4- On vante leur teneur en noisettes, alors que cet aliment occupe uniquement 13% du produit.
5- À cause de sa haute teneur en sucre, ce produit est plus excitant qu'énergisant.

Une tartinade maison

Je suggère de faire une tartinade de chocolat maison en mélangeant du beurre d'amande et du cacao.

Les enfants en raffoleront !

RECETTE SUGGÉRÉE

- 2 c. à thé comble de beurre d'amande
- 1 c. à thé de poudre de cacao cru

Évaluez le ratio selon votre propre goût ou celui de votre enfant.

LES FRUITS

La tendance est de manger des fruits au déjeuner. Sans être un mauvais choix, les fruits le matin devraient être servis en petite portion, soit ½ tasse de petits fruits ou une demi-banane, et accompagner un repas de protéines. Le but est de fournir suffisamment de glucides à l'enfant, sans nuire à son appétit. Idéalement, les fruits devraient être consommés en collation, avec des noix. Nous verrons pourquoi plus loin dans une section consacrée aux collations.

LES JUS DE FRUITS

À cause de leur concentration en sucres, les jus de fruits ne sont pas les meilleurs choix. Offrez plutôt à votre enfant une boisson d'amande ou de noisette non sucrée. Nous verrons plus loin plus en détail quels sont les meilleurs choix en la matière.

LE LAIT

À mon avis, le lait est un produit nutritif, entre autres parce qu'il contient des protéines, des glucides, des vitamines et des minéraux. Toutefois, contrairement aux recommandations du Guide alimentaire canadien, il faudrait certainement réduire les quantités proposées. Un verre de lait écrémé par jour est largement suffisant. Occasionnellement, l'enfant pourra en consommer deux verres, mais pas plus. Nous y reviendrons plus loin dans une section consacrée aux produits laitiers. En remplacement du lait au petit déjeuner, servez à votre enfant une boisson d'amande ou de noisette non sucrée.

Exemples de petits déjeuners

Avec un bon déjeuner complet dans le ventre, votre enfant sera fin prêt pour attaquer du bon pied la journée qui l'attend. Selon ce qu'il a au programme (école ou sport), il est possible d'adapter le déjeuner en fonction de ses besoins.

DÉJEUNERS POUR FAVORISER LA CONCENTRATION ET LA MÉMORISATION

80 ml (²/₃ de tasse) de **céréales**
+ 60 à 125 ml (¼ à ½ tasse) de **lait écrémé**
ou 250 ml (1 tasse) de **boisson d'amande**
+ 5 à 10 **noix au choix ou amandes** (selon l'appétit de l'enfant)

80 ml (²/₃ de tasse) de **gruau**
+ 60 à 125 ml (¼ à ½ tasse) de **lait écrémé**
ou 250 ml (1 tasse) de **boisson d'amande**
+ un peu de **cannelle** ou d'**extrait de vanille**
+ 5 à 10 **noix ou amandes** (selon l'appétit de l'enfant)

½ à 1 **rôtie de grains entiers**
+ 1 **omelette** (faite à partir d'un ou deux œufs)
+ **légumes** au choix
+ **fromage**
+ **beurre d'arachide naturel ou beurre de noix ou beurre d'amande**

DÉJEUNERS POUR FAVORISER LES PERFORMANCES SPORTIVES

Omelette
+ 125 ml (½ tasse) de **petits fruits**
+ ½ tranche de **pain** avec **beurre de noix ou d'amande**

1 **omelette** composée de blancs d'œufs (1 ou 2 selon l'appétit)
+ 80 ml (²/₃ de tasse) de **céréales**
+ 60 à 125 ml (¼ à ½ tasse) de **lait écrémé** ou 250 ml (1 tasse) de **boisson d'amande**
+ 5 à 10 noix ou amandes

1 **omelette** composée de blancs d'œufs (1 ou 2 selon l'appétit)
+ 80 ml (²/₃ de tasse) de **gruau**
+ 60 à 125 ml (¼ à ½ tasse) de **lait écrémé**
ou 250 ml (1 tasse) de **boisson d'amande**
+ un peu de **cannelle** ou d'**arôme de vanille**
+ 5 à 10 **noix ou amandes**

* Les proportions suggérées le sont à titre indicatif seulement. Elles peuvent varier selon l'âge et l'appétit de l'enfant. Tant qu'il n'y a pas d'embonpoint observé ou de recommandation médicale, il n'y a pas lieu de restreindre l'appétit d'un enfant.

LE DÎNER ET LE SOUPER

voir page 93 dans la seconde partie du livre consacrée aux enfants

Tout comme le déjeuner, le dîner et le souper sont des repas nécessaires à l'équilibre énergétique physique et mental. À chaque repas, un apport suffisant en protéines est primordial. Les enfants, de même que les adultes, doivent combler quotidiennement leurs besoins alimentaires. Voici comment.

LES PROTÉINES

Les protéines sont indispensables à la vie et sont essentielles à la croissance de l'enfant.

Le corps comme une maison

Si on comparait le corps à une maison, les protéines représenteraient les briques sans lesquelles toute construction est impossible. Elles fabriquent les muscles, les os, les cheveux, les ongles, la peau et tous les organes. Sans protéines, la vie ne pourrait exister!

Les besoins quotidiens de l'enfant

L'apport en protéines est à peu près le même entre l'âge de 5 et 12 ans. Il varie en fonction du poids de l'enfant. On prévoit de 0,8 à 0,9 gramme par kilo. Ainsi, un enfant qui pèse 20 kilos consommera 16 à 18 grammes de protéines par jour. **Si l'enfant semble avoir faim à la fin de son repas, n'hésitons pas à augmenter de 20% ces recommandations en protéines...**

Les meilleures sources

Les meilleures sources demeurent les protéines animales maigres, idéalement extra-maigres. Comme chez l'adulte, la variété constitue la règle de base d'une saine alimentation.

Où trouver 16 g de protéines?

On peut trouver 16 g de protéines dans:
» 55 g de bœuf haché maigre cuit
» 55 g de poulet sans peau cuit
» 55 g de thon en conserve, dans l'eau
» 3-4 œufs entiers
Cette quantité correspond à la moitié de la paume de la main d'un adulte.

L'enfant en surpoids

Pour l'enfant qui est en surpoids, on calculera sa ration de protéines à partir du poids qu'il devrait peser. Par exemple, s'il pèse 45 kilos alors qu'il devrait en peser 40, on tiendra compte de ce second nombre.

Concrètement, un enfant de 5 ans qui pèse 20 kilos a besoin de 20 X 0,90 = 18 grammes de protéines par jour répartis sur trois repas. Afin de vous aider à combler quotidiennement les besoins de votre enfant, vous trouverez des recettes à la fin du livre. Pour chacune d'entre elles, j'ai indiqué l'apport en protéines.

Mythe ou réalité: peut-on manger trop de protéines?

Certaines informations abondamment diffusées laissent entendre qu'on peut manger trop de protéines, mais je considère que ce point de vue est erroné. L'enfant est naturellement limité par son appétit et consomme rarement plus de protéines que ses capacités et ses besoins. A-t-on déjà entendu un parent se plaindre parce que son enfant mangeait trop de protéines? Non. On n'a jamais vu non plus un parent obliger son enfant à manger plus de viande que nécessaire. Évidemment, il est ici question de protéines alimentaires et non de suppléments de protéines qui sont plus rarement recommandés pour les enfants.

Les avantages à manger des protéines

Faire une place aux protéines dans l'assiette de l'enfant a deux conséquences inestimables:
» l'enfant se sentira rassasié;
» il aura moins tendance à réclamer un dessert après son repas ou encore des friandises entre les repas.

La cuisson des viandes

On porte une attention particulière à la cuisson des viandes. Afin qu'elles soient les plus saines possible, on ne devrait jamais les cuire dans le beurre ou dans la friture. On suggère d'utiliser les huiles végétales telle l'huile de coco, mais sans atteindre la température de fumaison (quand de la fumée s'échappe). On doit aussi éviter de faire calciner la viande. La température de cuisson idéale est d'environ 120 degrés C ou 250 degrés F. Une cuisson prolongée à feu modéré est préférable. Sur le barbecue, évitez tout simplement que la flamme touche la viande et de la faire calciner.

Les choix de viandes recommandées

Je suggère d'acheter les viandes les plus maigres possible. Le meilleur choix: les viandes extra-maigres, sinon maigres. Les viandes mi-maigres sont à rayer de votre liste. Lisez les étiquettes ou demandez à votre boucher une viande contenant 10% de gras ou moins.

BLANCHES ET ROUGES

Bœuf, veau, porc, jambon maigre **(moins de 10% m.g., le plus maigre possible)**.

LES VOLAILLES

Poulet et dinde sans la peau.

LES POISSONS

Achigan, sole, truite, flétan, morue, brochet, doré, tilapia, aiglefin, saumon frais ou en tartare ou fumé, thon pâle, sardines, maquereau frais ou en conserve (dans l'eau et rincé).

LES FRUITS DE MER (CRUSTACÉS ET MOLLUSQUES)

Calmar, crevettes, homard, langoustes, moules, huîtres ou palourdes.

LES ŒUFS

On les mange toujours cuits, jamais crus. La cuisson détruit une protéine naturellement présente dans le blanc de l'œuf et qu'on appelle l'avidine. Si elle n'est pas détruite lors de la cuisson, elle nuit à l'absorption des vitamines du groupe B, nécessaires à la production naturelle de l'énergie.

Un truc

>> Si le budget est limité, vous pouvez toujours mélanger des viandes maigres à des viandes extra-maigres...

Limiter sa consommation de poissons

Compte tenu de la contamination des eaux, entre autres par les métaux lourds, je recommande de manger du poisson trois fois par semaine au maximum. Les océans et les eaux sont de plus en plus pollués et, pour cette raison, on doit limiter sa consommation de poisson. Ce conseil s'applique également aux poissons d'aquaculture biologique qui sont aussi contaminés.

Une règle à respecter

La règle de consommation sécuritaire est basée sur la variété. On devrait diversifier les espèces de poissons mangés dans la même semaine. Aussi, **il faut privilégier les petits poissons plutôt que les gros poissons**.

L'enfant qui ne veut pas manger de viande

Il arrive que certains enfants refusent de manger de la viande ou qu'ils en consomment très peu, parfois par dédain. Les protéines végétales peuvent alors s'avérer une excellente solution de rechange.

3 familles de protéines végétales

Les protéines d'origine végétale se regroupent en 3 principales familles d'aliments: les légumineuses, les céréales, les noix et graines. Comme elles ne sont pas complètes, on doit les associer pour qu'elles jouent leur rôle de protéines.

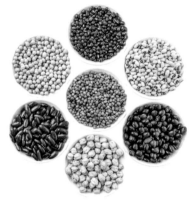

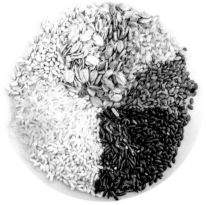

Les légumineuses sont les fèves et haricots secs ou en conserve (rouges, verts, jaunes, blancs, noirs, azuki, de Lima, mungo, etc.), le soya, les gourganes, les pois secs (entiers, cassés, chiches), les lentilles (vertes, rouges, brunes).

Les céréales sont le blé, le riz, l'épeautre, l'orge, l'avoine, etc.

Les noix et les graines sont les amandes, les pistaches, les noix de Grenoble, les noix de pin, les noix du Brésil, etc.

Voici comment les compléter
Légumineuses + céréales = protéines complètes
Légumineuses + noix et/ou graines = protéines complètes
Céréales + noix et/ou graines = protéines complètes

Tableau de complémentarité

Voici un tableau pour bien illustrer la complémentarité des protéines végétales[4]. Notez que plus la flèche est imposante, plus la complémentarité est forte.

Complémentation optimale entre la plupart des aliments de ces groupes

Peu d'aliments de ces groupes se complètent mutuellement

Très peu d'aliments de ces groupes se complètent mutuellement

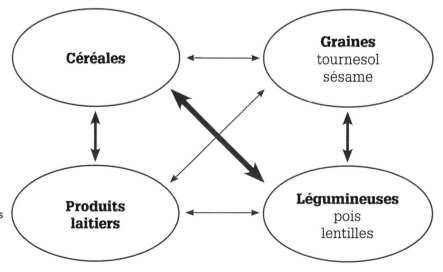

---

4 Source: Naturopathe des stars – Secrets d'artistes pour être au top! de Martin Allard, Les Éditions Lacroix.

6 trucs pour augmenter l'apport en protéines

» **Pour augmenter l'apport en protéines chez les enfants qui sont réticents à manger de la viande, on offrira un accompagnement de compléments de protéines végétales.**
Par exemple:

1. du quinoa et des noix émiettées ou du beurre d'amande ou d'arachide naturel;
2. du riz et des noix émiettées ou du beurre d'amande ou d'arachide naturel;
3. une soupe de lentilles;
4. un œuf cuit dur est toujours une valeur sûre – rares sont les enfants qui n'en mangent pas;
5. des légumineuses en purée tel du houmous sur un craquelin le moins transformé possible ou encore sur un bout de pain de quinoa cuit au four.

Le soya

À cause de sa popularité croissante, nombreux sont les enfants qui consomment des boissons de soya. Elles sont souvent trop sucrées. Je suggère plutôt d'opter pour les boissons de soya non sucrées.

Potentiellement nuisible

À ce jour, nous ne connaissons que partiellement l'impact cellulaire réel des phyto-œstrogènes. Le soya est considéré comme un aliment goïtrogène, donc potentiellement nuisible au fonctionnement optimal de la thyroïde, une glande responsable du métabolisme de base et de la capacité du corps à perdre du gras. Pour cette raison, le lait de soya pourrait prédisposer les enfants à l'embonpoint et à l'obésité. Le soya contient des inhibiteurs de protéases, des enzymes qui permettent de digérer les protéines. Aussi, le soya contient une substance qui nuit à la digestion de sa propre protéine. Pour ces raisons, je suggère de consommer le moins de produits de source de soya possible[5,6].

La boisson d'amande

Afin de réduire l'effet cumulatif du soya dans l'alimentation de votre enfant, changez quelques sources alimentaires. Par exemple, au lieu de lui offrir du lait de soya, proposez-lui une boisson d'amande sans sucre ajouté. On en trouve dans les supermarchés.

Ma suggestion

Je suggère une seule consommation de produits de soya aux deux jours tout au plus. On peut aussi mélanger moitié-moitié une boisson de soya et une boisson d'amande.

En quantité raisonnable

Selon les plus récentes études, il serait préférable de réduire la consommation de soya chez les enfants, notamment à cause des phyto-œstrogènes (molécules s'apparentant aux œstrogènes ou hormones féminines) qui pourraient éventuellement perturber le processus naturel de fabrication et de production des hormones. Des études sont toujours en cours à ce sujet.

5 Sources: Doerge, D.R. et al. Goitrogenic and Estrogenic Activity of Soy Isoflavones. *Environmental Health Perspectives*, 2002, 100 (3): 349-353.
6 Conrad, S.C. et al. Soy Formula Complicates Management of Congenital Hypothyroidism. *Archives of Diseases in Childhood*, 2004, 89: 37-40.

LES GLUCIDES

Les glucides sont aussi appelés «sucres» ou encore «hydrates de carbone». Ils fournissent aux cellules l'énergie nécessaire à leurs multiples fonctions. Ils servent notamment à la production d'efforts physiques et intellectuels, ils permettent de plus de maintenir des niveaux d'énergie optimaux.

Où les trouve-t-on?

Ils proviennent de notre alimentation, que ce soit sous forme naturelle (fruits, légumes, féculents) ou ajoutés dans l'alimentation transformée (boissons gazeuses, friandises, gâteaux ou produits transformés qui contiennent du sirop de maïs à haute teneur en fructose, néfaste pour la santé de l'enfant).

Énergie rapide

Les fruits contiennent des glucides qui servent à combler les besoins d'énergie rapide comme celle déployée lors de la pratique d'un sport.

Énergie à long terme

Les légumes, les féculents et les céréales contiennent des glucides qui maintiennent l'énergie à plus long terme, comme celle qui est nécessaire lors d'une journée scolaire ou dans le cadre de la pratique d'une activité physique de longue durée.

Deux sources de glucides

Il existe deux sources de glucides. Celles qui sont présentes dans la nature et celles qui proviennent de l'alimentation transformée.

Les sources de glucides naturelles

La nature nous offre une multitude de sources de glucides:
» les fruits et légumes
» les légumineuses (lentilles, fèves, haricots, etc.)
» les féculents (pommes de terre, pains, pâtes, produits céréaliers tels que le riz, l'avoine, le quinoa)
» les graines
» les produits laitiers

Les sources de glucides issues des produits industrialisés

Les glucides se retrouvent également sous forme ajoutée dans les aliments raffinés et les produits transformés que l'on appelle aussi produits industrialisés. Ils sont présents notamment dans:
» les aliments réconfort (le *comfort food*)
» les aliments provenant de la restauration rapide (le *junk food*)
» les pâtisseries
» les gâteaux
» les friandises
» les boissons gazeuses
» les viandes transformées (la goberge et les charcuteries)
» les produits laitiers transformés tels que les yogourts commerciaux, trop sucrés à mon avis

Comment reconnaît-on les sucres ajoutés?

On peut se renseigner sur les sucres ajoutés en consultant la liste des ingrédients affichée sur le produit. Les substances dont les noms se terminent en «ose» traduisent invariablement un ajout de sucre. Le sirop de maïs est aussi une forme répandue de sucre ajouté aux aliments (aux boissons gazeuses, entre autres) et ayant des conséquences graves pour la santé.

Valeur nutritive		
Par portion de 125 ml (87g)		
Teneur		% valeur quotidienne
Calories 80		
Lipides 0,5 g		1 %
Lipides saturés 0 g + Lipides trans 0 g		0 %
Cholestérol 0 mg		0 %
Sodium 0 mg		0 %
Glucides 18 g		6 %
Fibres 2 g		8 %
Sucres 2 g		
Protéines 3 g		
Vitamine A		2 %
Vitamine C		10 %
Calcium		0 %
Fer		2 %

Le saviez-vous?

Tout aliment transformé risque d'être trop sucré. Plus la liste d'ingrédients est longue, plus on y trouve des sucres camouflés. **Remarquez que les produits non transformés tels que les fruits et les légumes, les noix et les viandes n'ont jamais de liste d'ingrédients.**

Ce que la nature a initialement prévu

Avant l'avènement de l'alimentation transformée et de l'industrie alimentaire, l'être humain se contentait de ce que la nature avait prévu pour lui. L'homme était un cueilleur qui se nourrissait essentiellement de fruits, de petits fruits et de légumes. Il n'avait pas encore appris à transformer les grains en produits céréaliers, encore moins à cuisiner de la restauration rapide (le *junk food*) ou à fabriquer des friandises!

La surconsommation de glucides

Le fait que de nos jours les glucides soient présents partout dans l'alimentation transformée favorise leur surconsommation. Conséquemment, la consommation excessive de glucides est la principale responsable de l'embonpoint et de l'obésité chez les enfants.

Un défi quotidien

L'enjeu quotidien consiste à faire des choix judicieux afin d'éviter les produits transformés trop riches en sucres.

Un peu d'histoire

Durant le dernier siècle, nous sommes passés de la variété alimentaire à l'abondance alimentaire, puis à la surabondance alimentaire. Depuis quelques décennies, la commercialisation a considérablement transformé notre alimentation de base.

Un faux coupable

Ces dernières années, le gras a été mis au banc des accusés. On l'a reconnu comme étant «le» grand coupable de l'obésité. Les gras n'ont jamais été les véritables coupables.

Depuis le début de cette chasse aux sorcières, on a demandé aux compagnies alimentaires de réduire la quantité de gras dans leurs produits et, conséquemment, on a ajouté du sucre, une substance qui coûte moins cher à produire. Le sucre est un stimulant de l'appétit et peut créer non seulement la dépendance, mais également l'accoutumance chez l'enfant.

Les gras le sont aussi, mais dans une moindre mesure. On venait donc de troquer un ennemi... contre un autre ennemi encore plus puissant[7]!

---

7 Source: *Naturopathe des stars – Secrets d'artistes pour être au top!* de Martin Allard, Les Éditions Lacroix.

Les glucides à privilégier, à consommer modérément et à éviter

GLUCIDES À PRIVILÉGIER

Ce sont les aliments présents dans la nature et n'ayant subi aucune transformation: les fruits, les légumes, les légumineuses et certains féculents non transformés comme les pommes de terre.

GLUCIDES À CONSOMMER MODÉRÉMENT

Ce sont les aliments provenant de la nature, mais ayant subi une moindre transformation tels que les féculents (le riz, le pain et les pâtes et les céréales de grains entiers) et les produits laitiers.

GLUCIDES À ÉVITER

Ce sont les aliments raffinés ou clairement transformés, tels que proposés par l'industrie alimentaire. Les pâtes et pains blancs commerciaux entrent dans cette catégorie ; les boissons gazéifiées et les friandises aussi, bien sûr. Les aliments contenant du sirop de maïs à haute teneur en fructose sont assurément à éviter.

Autres conséquences désastreuses

La surconsommation de sucres (glucides) provenant surtout d'aliments transformés stimule l'appétit chez l'enfant. Le danger réside dans l'accoutumance. En effet, elle peut engendrer la consommation de glucides en boucle... Plus un enfant absorbe de glucides, plus son appétit pour les sucres est stimulé, créant un cercle vicieux. Il faut diminuer graduellement son apport en sucres raffinés en planifiant la journée dans son ensemble et en proposant à l'enfant de relever le défi de manger moins de sucre. Les desserts que je lui suggère plus loin dans ce livre sauront satisfaire son appétit pour les desserts sucrés.

La quantité de glucides à consommer

Selon l'Institut canadien du sucre, l'apport nutritionnel recommandé (ANR) pour les enfants est de 130 g de glucides par jour «en se basant sur la quantité minimale moyenne de glucose utilisée par le cerveau[8]».

---

8 Source: www.sugar.ca/Nutrition-Information-Service/Health-professionals/Dietary-Guidelines-About-Sugar.aspx

LES LÉGUMES

Asperges, avocats (un fruit-légume), brocoli, céleri, champignons, chou-fleur, chou vert, concombre, courge, courgette, épinards, laitue, navets, poireaux, poivrons de diverses couleurs, radis, échalotes, tomate (un fruit-légume), etc.

La quantité suggérée

Je suggère un minimum de 1 à 3 tasses de légumes par jour, répartis sur les deux principaux repas. Offrir à l'enfant autant de légumes qu'il en demande.

Sous différentes formes

Les légumes peuvent être mangés sous forme solide, mais aussi sous forme liquide: jus de légumes, soupes et potages aux légumes. Un jus de légumes qu'on achète déjà tout préparé à l'épicerie pourra faire l'affaire. Vérifier toutefois la liste des ingrédients: certains contiennent du sucre ajouté. Rechercher les mots se terminant en «ose», il s'agit d'un sucre ajouté.

La règle bicolore

Je suggère aussi de suivre la règle bicolore: consommer au minimum deux couleurs de légumes différentes à chaque repas. Par exemple: un légume vert et un légume rouge; un légume orange et un légume blanc. Un jus de légumes, une soupe ou un potage de légumes respecte facilement cette règle.

LES FÉCULENTS

Les féculents peuvent être consommés en quantité raisonnable. Ils permettront aux enfants sportifs de combler leurs besoins énergétiques. Le but est d'offrir à l'enfant des sources le moins transformées possible. Je privilégie le riz complet, les pâtes de grains entiers ou de légumineuses, le quinoa, les patates douces et les pommes de terre.

La quantité suggérée

Environ $1/3$ à $1/2$ tasse par repas ou selon appétit sans négliger la consommation des protéines dans l'assiette.

LES LIPIDES

Les lipides sont les gras nutriments présents dans l'alimentation, nécessaires et obligatoires à la croissance des enfants.
» Ils contribuent au stockage de l'énergie.
» Ils sont essentiels au développement et au maintien du système nerveux.
» Ils sont des constituants et des précurseurs à la construction naturelle des hormones.
» Ce sont des éléments nutritifs essentiels au fonctionnement du corps.

Pas de restriction

Il est hors de question de restreindre l'apport de lipides chez les enfants, à l'exception des lipides provenant d'une alimentation transformée.

Les lipides provenant de la nature et consommés normalement sont toujours bienfaiteurs et contribuent à une assiette fonctionnelle. On les retrouve sous différentes formes, que ce soit dans les noix, les amandes et leurs beurres, l'avocat et les bonnes huiles végétales.

Choisir ses huiles végétales

Choisir des huiles de première pression à froid ou extra vierge, telles que: huile d'olive, de carthame, d'avocat, de pépins de raisin, de tournesol, de noisette, de sésame, de bourrache et d'onagre.

Ma recommandation concernant les choix de lipides

Les lipides se présentent sous forme liquide et sous forme solide.

Lipides liquides

Je recommande aux parents d'utiliser deux sources de lipides liquides (huiles végétales) différentes dans une même semaine. Par exemple: huile de pépins de raisin et huile d'olive.

Lipides solides

Il est préférable de privilégier deux sources de lipides solides (noix, graines, amandes) différentes durant la semaine. Par exemple: des amandes et des noix de Grenoble ou encore des pacanes et des noix du Brésil, selon la préférence de l'enfant.

Ma recommandation concernant la quantité de lipides à consommer

La règle à respecter en matière de consommation de lipides est simple.

» En ce qui concerne les sources de lipides solides (noix, amandes, graines), on conseille l'équivalent de 2 pouces côte à côte par repas.

» En collation, on s'en tiendra à 1 pouce.

» Les sources de lipides liquides (huiles) se mesurent autrement. On peut en consommer 2 cuillères à soupe par repas.

Distinguer les bons gras des mauvais gras

Par le passé, on a accusé les lipides d'être responsables de la prise de poids, de l'embonpoint et de l'obésité chez les enfants. Cette information est en partie véridique.  **Cependant, il faut nécessairement distinguer les bons gras des mauvais gras.**

Les mauvais lipides provenant de l'alimentation transformée sont les grands coupables. Toutefois, les lipides provenant de bonnes sources naturelles, non transformées comme les plantes (huiles végétales), graines et noix contiennent des acides gras qui sont essentiels au support énergétique de l'organisme. Puisque le corps ne peut les fabriquer, leur utilisation dans l'alimentation quotidienne est indispensable. On doit satisfaire les besoins journaliers par le moyen de l'alimentation.

LES DESSERTS

En tant qu'adultes, nos bons souvenirs à table sont souvent liés aux desserts. Il en est de même pour les enfants qui en raffolent. **Les desserts font partie des aliments réconfort, ils sont source de plaisir et peuvent être nutritifs.**

Des exemples de desserts nutritifs

» Du yogourt grec et 1 c. à thé de beurre d'arachide naturel saupoudré de cacao ou de copeaux de chocolat noir
» Une compote de pommes sans sucre ajouté
» Une rôtie de pain de grains entiers et du beurre d'arachide naturel ou de noix et un peu de confiture
» Une salade de fruits ou un fruit et quelques noix
» Du yogourt nature avec des petits fruits

Suggestion

Je suggère de mettre au menu des desserts nutritifs durant la semaine et des desserts friandises (gâteau, pâtisseries, crème glacée, etc.) le week-end, mais ce n'est pas obligatoire! On évite que ces desserts sucrés soient considérés comme des récompenses. **Idéalement, il faudrait en arriver à banaliser les desserts bourrés de sucres et à valoriser les desserts nutritifs.**

Note aux parents

Si l'enfant insiste pour avoir des desserts friandises en semaine, tâchez de limiter sa consommation à un jour sur deux. Alternez un dessert friandise et un dessert nutritif. On ne devrait jamais priver son enfant. S'il a encore faim après un repas, les féculents pourront occuper une plus grande place dans son assiette. S'il n'a pas d'appétit au repas, mais qu'il réclame des biscuits, encouragez-le à manger d'abord le contenu de son assiette.

Un conseil

Je suggère d'attendre 20 minutes après le repas avant de servir le dessert. S'il observe une pause, l'enfant sera sûrement moins gourmand. En effet, cette attente est nécessaire pour que les signaux de satiété soient traités par le cerveau.

» Mes trucs

» Il n'est pas conseillé de récompenser l'enfant avec un dessert, un biscuit, un morceau de chocolat, une crème glacée ou toute autre «gâterie». Ne pas punir l'enfant non plus en le privant de dessert.
» Si vous allez à la crèmerie pour y manger une crème glacée, valorisez la sortie en famille et le plaisir d'être ensemble plutôt que le cornet comme tel!
» Essayez de temps en temps de ne pas offrir de dessert après le souper, surtout si l'enfant est impatient de retourner à son activité. Cela brisera l'habitude de consommer systématiquement un dessert après le repas.

À quoi devrait ressembler un repas type

LE DÎNER

» Entre 50 et 75 grammes de viandes
» 1 portion de légumes
» 1 féculent tels le riz, le quinoa, les pommes de terre, les patates douces, les pâtes de grains entiers ou de légumineuses

LE SOUPER

» Entre 50 et 75 grammes de viandes
» 1 portion de légumes
» 1 féculent tel que le riz, le quinoa, les pommes de terre, les patates douces, les pâtes de grains entiers ou de légumineuses
» 1 portion de dessert

LES COLLATIONS

voir page 93 dans la seconde partie du livre consacrée aux enfants

Sans l'ombre d'un doute, il y a plusieurs avantages à donner des collations à son enfant.

Elles contribuent notamment à:

» stabiliser sa glycémie (le taux de sucre sanguin) et ainsi son énergie;

» améliorer sa mémoire et son attention;

» réduire ou éliminer les rages de faim avant le dîner ou le souper;

» diminuer la consommation de friandises.

En bref, si l'enfant mange trois bons repas et des collations saines, il passera une journée au sommet de ses capacités intellectuelles et physiques.

À quel rythme donner des collations

Deux fois par jour idéalement, entre le déjeuner et le dîner et entre le dîner et le souper. Si l'enfant en a besoin, une troisième collation pourra être proposée en soirée.

Le choix des collations

Pour la collation, je recommande:

» 1 fruit + 10 à 15 amandes ou noix	» 1 yogourt grec nature + 1 cuillère à soupe de beurre de noix ou de beurre d'amande ou de beurre d'arachide naturel
» 1 fruit + un morceau de fromage de la grosseur d'un doigt d'adulte	» 1 yogourt grec nature + quelques morceaux d'amandes ou de noix
» 1 fruit + 1 cuillère à soupe de beurre de noix, de beurre d'amande ou de beurre d'arachide naturel	» 1 yogourt grec nature + quelques copeaux de chocolat noir

Pour l'enfant sportif

L'enfant qui pratique une activité sportive en soirée aura sûrement besoin de manger une collation après son activité.

La collation de l'enfant qui fait du sport
Pour l'enfant qui fait du sport, on pourra offrir un yogourt grec nature ou à la vanille auquel on aura ajouté des céréales de type granola le moins transformées possible ou encore 1 ou 2 cuillères à soupe d'avoine.

Au sujet des noix

Idéalement, les amandes et les noix devraient être nature, c'est-à-dire non assaisonnées et non transformées (rôties, salées, aromatisées).

Une belle solution de rechange

Un yogourt grec nature aromatisé avec quelques gouttes d'arôme de vanille ou un peu de sirop d'érable ou simplement mélangé à du beurre d'amande ou de noix ou quelques fruits et déposé quelques minutes au congélateur devient une belle solution de rechange à la crème glacée.

Les collations à l'école

Si les collations sont fournies par l'école, assurez-vous qu'elles respectent mes recommandations. Sinon, ajoutez-les à la boîte à lunch de votre enfant.

L'EAU

voir page 93 dans la seconde partie du livre consacrée aux enfants

Le corps humain est composé d'environ 60% d'eau, soit 55% chez la femme et 65% chez l'homme. Chez le nouveau-né, la concentration atteint 75 à 80%. Assurer une bonne hydratation est essentiel au maintien de la vie.

La déshydratation

De toutes les fonctions biologiques naturelles du corps, le signal de la déshydratation semble parmi les moins efficaces, puisqu'il se produit tardivement. Lorsque votre enfant a soif, il est déjà en zone de déshydratation.

Les symptômes de la déshydratation

Si l'enfant est déshydraté, il peut présenter différents symptômes:
» bouche sèche
» lèvres sèches
» langue rugueuse et épaisse
» crampes et douleurs musculaires
» étourdissements, pertes d'équilibre, nausées et vision embrouillée
» changements de l'humeur
» envie d'uriner moins fréquente
» épisode de constipation

La couleur de l'urine: un indicateur

Lorsque l'urine est claire, limpide, translucide, elle indique que le corps est suffisamment hydraté. À l'inverse, une urine foncée et concentrée dénote un manque d'hydratation. C'est donc signe que votre enfant ne boit pas suffisamment. Certaines vitamines peuvent colorer les urines, entre autres les vitamines du groupe B. Les colorants ajoutés à certains aliments transformés de même que les colorants naturels comme l'extrait de betterave peuvent aussi modifier la couleur de l'urine.

Mon conseil

En période de grande chaleur, le principal risque demeure la déshydratation. **Par mesure de prévention, on questionne son enfant: a-t-il soif ? On l'observe.** Va-t-il à la toilette régulièrement ou moins fréquemment que d'habitude? Ces indices seront précieux pour déterminer s'il boit suffisamment d'eau pour rester hydraté.

Prévenir plutôt que guérir

En ce qui concerne l'hydratation, le mot d'ordre est prévenir plutôt que guérir. **On veille à offrir régulièrement de l'eau à son enfant.**

Des besoins plus élevés

Contrairement à ce qu'on pourrait penser, les besoins en eau chez l'enfant sont plus élevés que chez l'adulte. En fait, l'enfant devrait consommer majoritairement de l'eau. Son corps est formaté pour boire, absorber et assimiler de l'eau. La question des jus, du lait et des autres boissons sera abordée dans des sections subséquentes.

Le saviez-vous?

Un enfant perd chaque jour de 1,5 à 2,5 litres d'eau.

Quelle quantité boire

On suggère aux parents d'encourager leur enfant à boire quotidiennement au minimum 1 litre d'eau, selon ses besoins. Cette quantité devrait être bue tout au long de la journée et non pas uniquement le matin et le soir.

S'hydrater grâce aux aliments ou «manger son eau»

Les aliments sont riches en eau et permettent eux aussi l'hydratation du corps. Les aliments les plus riches sont les fruits, suivi de près par les légumes, puis les viandes et les noix. Pour cette raison, songez à offrir  des fruits et des légumes à votre enfant, ils contiennent entre 60 et 80% d'eau de même que des minéraux (électrolytes) qui diminuent les risques de déshydratation.

Les aliments à éviter

En période de grande chaleur, les aliments épicés et irritants (piments forts) doivent être évités.

Quelques conséquences de la déshydratation chez l'enfant

Un enfant qui ne boit pas suffisamment d'eau présentera les symptômes suivants.
» Il aura faim plus souvent et il aura tendance à être plus gourmand. Son facteur de risque d'embonpoint sera donc plus élevé.
» Son humeur sera affectée, il pourra avoir des sautes d'humeur durant la journée.
» Les fonctions cognitives seront aussi touchées. Sa concentration et sa capacité de mémorisation ne seront pas à leur meilleur.
» Ses performances physiques seront diminuées.
» Il souffrira peut-être de constipation et aura moins souvent envie d'uriner.

Une formule gagnante

Pour convaincre les enfants de boire de l'eau, il faut parfois user de finesse et d'astuces. Les boissons de fruits et boissons gazeuses sont souvent si attrayantes à leurs yeux! **J'ai établi une formule que j'appelle le truc H2O. La voici.**
» **H:** H pour HEURE rappelle de boire 1 verre d'eau dans la première heure après le lever. Cette habitude engendre une meilleure régularité intestinale, met fin à la déshydratation nocturne et favorise les fonctions cognitives, c'est-à-dire la concentration et la mémoire.
» **2:** Boire l'équivalent d'au moins 2 petites bouteilles d'eau par jour, soit 2 x 500 ml.
» **O:** ArOmatiser l'eau pour faciliter sa consommation. On peut offrir des variantes particulièrement intéressantes: ajouter à l'eau des fraises, du citron, du basilic; des quartiers d'orange; des bleuets; du melon d'eau; de la menthe. N'hésitez pas à concocter vos propres mélanges en tenant compte des goûts de votre enfant!

Attention: évitez les produits d'édulcorants (faux sucres).

Trucs pour aider votre enfant à boire de l'eau

1. Ayez toujours un pichet d'eau dans le frigo.
2. Parfumez l'eau avec des quartiers d'orange, de lime ou de citron, des feuilles de menthe ou des fruits colorés.
3. Si l'envie de grignoter lui prend, offrez-lui tout d'abord de l'eau. Souvent, l'impression d'avoir faim est en fait une manifestation de la soif.
4. Pour faire changement, vous pouvez lui servir une eau pétillante non sucrée.
5. Montrez-lui l'exemple! Buvez de l'eau vous aussi!

Un impact non négligeable

Une consommation d'eau adéquate aura pour effet de régulariser la fonction intestinale. **Dès qu'un enfant démontre des signes de constipation, on doit d'abord vérifier sa consommation d'eau quotidienne.** En boit-il suffisamment?

Mise en garde

L'eau agit comme un léger coupe-faim. Donner de l'eau à son enfant moins de 15 minutes avant le repas pourrait diminuer son appétit.

Si votre enfant est déshydraté

Je suggère toujours de prioriser un apport suffisant en protéines, mais si votre enfant est déshydraté, il serait sage de lui en offrir moins. Concentrez-vous sur les fruits et les légumes qui lui procureront les liquides nécessaires à la réhydratation. Évitez aussi les boissons sucrées et surtout celles qui donnent soif comme les boissons à saveur de fruits (Kool-Aid) ou les boissons gazeuses.

L'enfant sportif

Si votre enfant fait du sport, invitez-le à boire de l'eau au moins une heure avant son activité physique. Veillez à lui offrir des boissons isotoniques durant l'activité physique, c'est-à-dire de l'eau légèrement sucrée à laquelle on aura ajouté un peu de sodium. Faites-le boire encore une heure après la pratique de son sport.

Une recette maison

Une boisson est dite isotonique lorsque la densité du liquide se rapproche de celle du sang. Cette propriété permet une absorption optimale au niveau de l'intestin. Pour chaque portion de jus d'orange 100% pur, on ajoute deux portions d'eau et une pincée de sel ou des électrolytes en poudre qu'on peut facilement se procurer en pharmacie. Cette boisson isotonique permettra à votre enfant de s'hydrater de manière optimale.

Des sucettes glacées anti-déshydratation

Que ce soit en utilisant la recette de boisson isotonique ou encore en se procurant une formule réhydratante telle que Pédialyte™ ou Gastrolyte™, congelez des portions individuelles sous forme de sucettes glacées que vous pourrez offrir à votre enfant au besoin.

Vrai ou faux

Certains se questionnent parfois: y a-t-il des dangers à boire beaucoup d'eau? À moins d'une contre-indication ou d'une condition médicale spécifique, on ne peut pas boire trop d'eau. Certains troubles associés à la surconsommation d'eau pouvant provoquer la mort dû, entre autres, à une dilution du plasma sanguin sont extrêmement rares. Pour cela, il faudrait consommer entre 4 et 8 litres d'eau à l'heure, sans uriner pendant plusieurs heures, un comportement plutôt inhabituel et certainement non recommandé...

LES JUS DE FRUITS

voir page 93 dans la seconde partie du livre consacrée aux enfants

Les jus de fruits sont très populaires de nos jours et font partie de l'alimentation quotidienne de plusieurs enfants. On tient pour acquis qu'un jus, indépendamment de sa source, représente l'équivalent d'un fruit, ce qui est totalement faux. On ne peut attribuer en aucun cas la même valeur à une boisson aux fruits qu'à un fruit frais. Un jus de pomme qui peut dormir sur une tablette dans son emballage en carton ne peut en rien rivaliser avec une pomme en termes de valeur nutritive, c'est d'une logique implacable. Un jus ne contient ni les enzymes ni les fibres que contient un fruit, quel qu'il soit.

Un changement annoncé au Guide alimentaire canadien

C'est avec l'intention de corriger cette méprise que Santé Canada a annoncé en 2015 avoir l'intention de modifier le Guide alimentaire canadien en y apportant cette nuance: «le jus de fruits n'a pas la même valeur nutritive qu'un fruit».

Sur le site du gouvernement du Canada, on peut lire cette information qui remonte au 20 mai 2015: «À l'heure actuelle, le Guide alimentaire canadien fournit des exemples de fruits et de légumes faisant partie d'une saine alimentation, et les jus de fruits font partie des choix présentés. **Les Canadiens sont encouragés à consommer toute une variété de fruits et de légumes entiers plus souvent que du jus, étant donné que le jus ne peut pas procurer certains bienfaits, comme un apport en fibres plus élevé.**

«Une portion de jus de fruits correspond à une demi-tasse (125 ml), ce qui correspond à de saines habitudes alimentaires. La consommation de plus d'une portion de jus de fruits par jour pourrait toutefois constituer un apport trop élevé en sucre en fonction de l'âge et du sexe de la personne ainsi que des autres aliments consommés[9].»

Ma recommandation

Toujours offrir à votre enfant un fruit au lieu d'un jus. Malgré tout, si vous souhaitez lui en servir occasionnellement, vous devrez limiter la consommation de jus à un maximum de 60 à 100 ml par jour.

Faites le bon choix

Sachez faire la différence entre les jus de fruits purs, les jus concentrés, les nectars et les boissons aux fruits. Voici comment vous y retrouver.

9 Source: www.nouvelles.gc.ca/web/article-fr.do?nid=977959

Les meilleurs choix

1re catégorie: les jus naturels ou non transformés

1. Le jus de fruits «100% pur jus»

Vendu dans les épiceries, ce jus est celui qui se rapproche le plus du fruit frais, car il n'a pratiquement pas subi de transformations. Il est le résultat du fruit mûr pressé mécaniquement. On n'y retrouve aucun ajout d'additifs ou de sucres. Parfois, on y a ajouté de l'eau ou des enzymes pour le clarifier.

Ses avantages
» Il est sans sucres ajoutés.
» Il ne contient pas d'additifs.
» On a préservé les vitamines, minéraux et autres nutriments tels que les antioxydants, sauf les fibres et les enzymes.

Son inconvénient
» Sa durée de conservation est limitée à quelques jours seulement.

2. Le jus de fruits «100% pur jus réfrigéré»

On peut se le procurer dans les comptoirs réfrigérés. **Ces jus sont produits comme ceux qui portent la mention «100% pur jus», mais ils sont pasteurisés, un mode de stérilisation fréquemment utilisé dans l'industrie alimentaire.** Ils subissent un traitement thermique, c'est-à-dire qu'on chauffe le jus à très haute température (95 à 98 degrés Celsius) pendant une dizaine de secondes, puis on le refroidit en quelques secondes pour l'emballer dans un contenant stérilisé.

Ses avantages
» Il est sans sucres ajoutés.
» Il est sans additifs.
» On a préservé les vitamines, minéraux et autres nutriments tels que les antioxydants, sauf les fibres et les enzymes.
» Le temps de conservation est plus long que pour les jus naturels, soit de quelques semaines.

Son inconvénient
» On constate une légère diminution des vitamines à cause du traitement à haute température.

3. Le jus de fruits «100% pur jus pasteurisé» non réfrigéré

Il est produit comme le jus 100% pur jus réfrigéré (ou semi-pasteurisé), mais avec un temps de pasteurisation plus long, et donc plus complet, afin de détruire les germes et bactéries.

Ses avantages
» Il est sans sucres ajoutés.
» Il est sans additifs.
» On a préservé les vitamines, minéraux et autres nutriments tels que les antioxydants, sauf les fibres et les enzymes.
» Le temps de conservation est encore plus long, c'est-à-dire quelques mois.
» Il est plus abordable que le jus 100% pur jus, notamment à cause de l'emballage moins coûteux.
» Il ne nécessite pas de réfrigération.

Ses inconvénients
» La perte des vitamines est plus grande.
» Le goût et la texture sont légèrement modifiés.

Les jus à éviter

2ᵉ catégorie: les jus transformés

1. Le jus à base de concentré

Après avoir procédé à la récolte du fruit et de son jus, sur le lieu même de son exploitation, on retire l'eau par évaporation, puis on congèle le concentré ainsi obtenu. Ce concentré est expédié dans différents marchés, même outre-mer, où il sera reconditionné: on y ajoutera de l'eau et du sucre afin de rectifier sa saveur.

Ses avantages
» Le prix.
» La durée de vie qui peut aller jusqu'à 12 mois.

Ses inconvénients
» La quantité de sucre ajouté et parfois même des acides et des saveurs.
» Le goût n'est plus celui du jus de fruits frais 100% pur ou encore fraîchement pressé.

2. Le nectar de fruits

Le nectar de fruits ne ressemble plus vraiment à un jus de fruits. Les fruits qui entrent dans sa préparation sont les plus pulpeux ou les moins juteux: banane, pêche, abricot, mangue... ou encore ceux qui se révèlent trop acides pour la préparation de pur jus, par exemple les fruits rouges tels que la framboise ou le cassis. Il existe des nectars d'orange, ils sont le résultat de purée d'oranges ayant déjà servi à l'élaboration de pur jus. Les fruits sont réduits en une purée à laquelle on ajoute de l'eau, bien sûr, mais surtout du sucre... beaucoup de sucre.

Au final, le sucre représente 20% du produit. Les fruits ne comptent plus que pour 25 à 50% du produit fini, d'où l'impossibilité d'étiqueter ces boissons comme étant des «jus de fruits».

Son avantage
» Les nombreuses saveurs disponibles.

Ses inconvénients
» Il contient beaucoup de sucre.
» Il est peu bénéfique sur le plan nutritionnel, car il contient peu de vitamines et beaucoup de calories.

3. La boisson de fruits
La boisson de fruits est en fait un mélange d'eau, de sucre (beaucoup de sucre!), de saveurs et de colorants.

Son avantage
» Aucun, sinon qu'il est une source d'eau, mais sans plus.

Son inconvénient
» Il contient beaucoup trop de sucre et n'est d'aucun intérêt sur le plan nutritionnel. Il est non recommandé.

Ne pas se laisser berner

Oubliez les mentions «avec vitamine D» ou encore «source de calcium». Ces valeurs ajoutées ont bien davantage une valeur marketing que nutritionnelle.

Mes 4 recommandations concernant les jus de fruits

À la lumière de ces informations, je suggère:

1- de remplacer idéalement la portion de jus par un fruit frais;
2- de n'offrir à votre enfant que du jus 100% pur jus;
3- de limiter la consommation de 60 à 100 ml par jour;
4- de diluer le jus avec un peu d'eau gazéifiée, un excellent truc pour augmenter le volume d'eau consommé, et ce, sans ajouter de glucides.

Un conseil

Dès leur jeune âge, apprenez à vos enfants à couper leur jus avec de l'eau. Toujours. Un mélange fait de 50% de jus et de 50% d'eau n'altère en rien son goût. Moins de jus = moins de glucides.

De bons choix

À titre d'exemple seulement, voici 3 choix de jus qui répondent à 3 critères spécifiques: leur valeur nutritionnelle est celle qui se rapproche le plus de mes recommandations; ils sont disponibles et faciles à se procurer; leur prix est abordable.

Le jus Oasis
Collection Classique et Collection Premium

Le jus Tropicana
Pure Premium

Le jus Beatrice 100% pur jus d'orange fait de concentré
Plus de pulpe

Des jus de fruits frais

Pourquoi ne pas préparer des jus de fruits maison? C'est économique, savoureux et tellement plus santé! On les offre à l'enfant en petite quantité, coupés d'eau du robinet ou d'eau pétillante. Un vrai délice!

LES JUS VERTS

Avec les jus verts, on assiste actuellement à la commercialisation d'une tendance qui était initialement santé. À l'origine, les jus verts étaient essentiellement composés de légumes, de tiges, d'épices et d'herbes. Afin de satisfaire la demande pour des jus verts plus goûteux et plus sucrés, on a vu se multiplier sur Internet et dans les magazines des recettes de jus verts comportant des fruits de toutes sortes. Conséquemment, **ils sont de plus en plus aromatisés et finalement trop sucrés.**

De la simplicité à la surabondance

Le processus qu'on traverse actuellement avec les jus verts ressemble étrangement à celui par lequel on est passés avec les sushis. À l'origine, avant même qu'ils ne connaissent une certaine popularité, les sushis étaient composés de trois éléments, soit du riz, des algues et du poisson. En les commercialisant, on a considérablement modifié les sauces et on a fait entrer une multitude de produits dans leur composition. De nos jours, on trouve de tout dans un sushi, même de la friture! Nous ne sommes plus dans la simplicité du mets initial, mais dans une surabondance alimentaire.

Un véritable piège

Parfois, les jus verts maison comptent plus de calories que les jus verts du commerce. Même si de bons aliments entrent dans leur composition, l'accumulation de glucides (de sucres) est un véritable piège. Je suggère de revenir à la base. Le jus vert doit être composé de légumes frais, d'herbes et d'épices, et doit être préparé à la maison, idéalement grâce à un extracteur à jus.

Des compositions savoureuses

On peut effectuer différentes compositions savoureuses à base de laitue, de kale, de concombre et de tous les légumes qui nous inspirent. On peut ajouter un demi-fruit afin d'éliminer l'acidité du jus de légumes, une poire par exemple, puisqu'elle n'est pas très glucidique (riche en sucres).

Le ratio idéal

Le fruit qui entre dans la composition du jus vert devrait respecter ce ratio: un quart de fruit par portion de jus vert. Ainsi, une pomme intégrée dans une recette devra servir 4 personnes.

Choisir le bio

Si vous pouvez vous le permettre, faites vos propres jus verts à la maison et, idéalement, privilégiez les légumes biologiques. La préparation du jus vert permet une concentration des nutriments et, pour la même raison, une importante concentration de pesticides si les aliments ne sont pas de culture biologique. On privilégie les aliments bios pour éviter de consommer de tels pesticides. **Même s'ils sont de culture biologique, on lave toujours soigneusement les légumes avant d'en extraire le jus.**

L'avantage des jus verts

Évidemment, le jus vert est une manière judicieuse d'augmenter la consommation de légumes chez votre enfant. Et encore une fois, c'est toute la famille qui profitera des bienfaits de ces jus frais.

LES SMOOTHIES

Les smoothies bénéficient actuellement d'une grande popularité et font dorénavant partie des habitudes alimentaires de plusieurs familles. Le piège est le même que pour les jus verts. Sous prétexte de boire un smoothie, certains consomment dans un simple verre autant de calories qu'aux repas.

Revenir à la base

À la base, les smoothies doivent contenir des fruits, des protéines et des glaçons. Voici les trois étapes à suivre pour concocter un smoothie digne de ce nom.

1- Les fruits

Je privilégie les fruits surgelés plutôt que les fruits frais pour leur texture. On limite la quantité de fruits. Le ratio est le suivant: une portion de fruit par portion de smoothie.

2- Les protéines

On ajoute de la protéine, idéalement de la protéine en poudre telle que le lactosérum que l'on trouve facilement sur le marché aujourd'hui. Ce sont des produits exempts de sucres et de gras.

3- Les glaçons et l'eau

Et enfin, on ajoute les glaçons et un peu d'eau, on passe au mélangeur... et on déguste!

Un smoothie enrichi

On peut enrichir son smoothie avec des fibres en ajoutant des graines de chia, des graines de chanvre ou des graines de lin, des épices et des huiles. L'objectif est de réduire l'apport en glucides.

Intégrer de bons acides gras

Le smoothie est une belle manière de camoufler des huiles végétales à l'enfant qui ne veut pas manger de noix ou d'amandes. Aussi, quand une condition particulière impose des restrictions alimentaires à un enfant (à cause des broches par exemple) et qu'il ne peut croquer de noix ou d'amandes, un ajout d'huile végétale dans un smoothie permettra d'intégrer de bons gras essentiels à sa santé. Idem avec les enfants qui ne veulent pas consommer de bonnes huiles, que ce soit en salade ou autre. On pourra lui en faire manger à son insu en les camouflant dans un smoothie à raison de 1 à 2 c. à thé.

Un truc

Récupérez les fruits mûrs à souhait que vous n'aurez peut-être pas le temps de manger et utilisez-les pour faire des smoothies.

LES PRODUITS LAITIERS:
ENTRE LE MYTHE ET LA RÉALITÉ

Depuis longtemps, on entend marteler le même discours: pour grandir en santé et selon notre groupe d'âge, il nous faudrait consommer entre 2 et 4 portions de produits laitiers chaque jour. Le Guide alimentaire canadien, qui est la référence en la matière, suggère de boire quotidiennement 2 tasses de lait, mais qu'en est-il vraiment?

Les 3 catégories de lait et de produits laitiers

Il existe 3 catégories de lait et de produits laitiers.

1. Le lait de consommation. Il provient de la vache, de la brebis, de la chèvre et d'autres animaux telle la jument.
2. Les laits fermentés tels que le yogourt et le fromage.
3. Les produits dérivés du lait: le yogourt glacé, le pouding, le lait chocolaté et les friandises à base de produits laitiers.

Les constituants du lait et des produits laitiers

Les principaux constituants nutritifs du lait et ses produits sont les protéines, les glucides ainsi que certains minéraux, notamment le calcium. Le lait de vache est composé de deux familles de protéines, soit les caséines (qui représentent 80% des protéines du lait) et les lactosérums (qui constituent 20% des protéines du lait).

Les seuls réels effets bénéfiques associés aux protéines du lait proviennent du lactosérum. Les allergies sont essentiellement dues aux caséines du lait. En plus d'être allergènes, les caséines du lait sont plutôt indigestes. En vieillissant, nous digérons moins bien le lait et, pour cette raison, je considère que les produits laitiers n'ont plus leur place au sein de l'alimentation quotidienne à l'âge adulte.

Le lactose

Le lactose est le sucre du lait. Il est formé de deux glucides: le galactose et le glucose. Nous digérons le lactose grâce à la lactase, une enzyme de la famille des bêta-galactosidases. Elle est produite naturellement chez les nouveau-nés et chez les enfants jusqu'à l'âge d'environ 8 ans. En vieillissant, sa production tend à diminuer et parfois même à disparaître. Certains en produiront encore à l'âge adulte, mais le corps cesse généralement d'en fabriquer un peu avant l'adolescence ou pendant cette période.

L'intolérance au lactose

La dysfonction associée à la difficulté ou à l'impossibilité de digérer le lactose s'appelle l'intolérance au lactose. **Ce n'est pas une maladie, mais plutôt une dysfonction naturelle chez l'être humain**, puisque le corps ne semble pas apte à digérer un produit laitier bovin après l'enfance. Nous serions tous plus ou moins intolérants au lactose.

Parmi les symptômes de l'intolérance au lactose

» Ballonnements
» Maux de ventre, douleurs et crampes abdominales
» Diarrhée ou constipation
» Maux de tête
» Vomissements

À quel moment apparaissent-ils?

En général, les symptômes apparaissent entre 30 minutes et 2 heures après l'ingestion du produit laitier contenant du lactose. Il arrive parfois que les symptômes se manifestent seulement le lendemain.

Pour et contre

Les arguments pour et contre le lait et ses produits sont les suivants.

Les arguments en faveur

» Source de calcium
» Source de nutriments, notamment les glucides et protéines
» Aliment réconfort apprécié

Les arguments contre

» Aliment indigeste pour plusieurs
» Allergène alimentaire
» Source de sucre
» Perturbateur hormonal
» Favorise la résistance à l'insuline (effet prodiabétique)

Mon avis sur les produits laitiers

À mon avis, le lait demeure un produit nutritif pour les enfants, car il contient des protéines, des glucides, des vitamines et des minéraux comme bien d'autres aliments. Il y a certains avantages à consommer des produits laitiers, mais contrairement aux recommandations du Guide alimentaire canadien, il faudrait certainement réduire les quantités proposées. Il existe une grande différence entre boire un verre de lait par jour et en boire deux, tel que suggéré. Sur un plan purement mathématique, c'est le DOUBLE. Une portion de produit laitier par jour est très largement suffisante pour justifier ses effets bénéfiques sans avoir à composer avec ses inconvénients.

Comment les consommer

» À titre de produit réconfort (un dessert à base de yogourt)
» Comme ingrédient ajouté à une vinaigrette (yogourt, crème sure)
» En accompagnement sur des légumes, en omelette ou dans une salade

Le saviez-vous?

Ailleurs sur la planète, dans plusieurs pays en Orient ou en Afrique, les produits laitiers ne font pas partie de l'alimentation courante, même chez les enfants. Dans plusieurs contrées du globe, on boit très peu de lait après le sevrage et, dans certains cas, pas du tout.

L'industrie laitière

Au Canada et aux États-Unis, nous sommes des enfants d'agriculteurs et plus particulièrement d'éleveurs de vaches. Une partie de notre économie a reposé et repose toujours sur l'industrie laitière et, pour cette raison, on en fait la promotion grâce à un lobbying puissant.

Du côté du Harvard Health Publications

En 2016, le Harvard Health Publications a publié une nouvelle approche de la nutrition santé. Les produits laitiers ne sont pas mentionnés dans leur Assiette santé, on suggère de limiter sa consommation de lait et de produits laitiers à 1 ou 2 portions par jour[10].

Les meilleurs choix de produits laitiers

Le **yogourt grec offre deux fois plus de protéines que de glucides, un ratio particulièrement intéressant, contrairement aux autres types de yogourts** qui contiennent deux fois plus de glucides que de protéines. Il renferme aussi des probiotiques qui favorisent la santé intestinale. Du même souffle, il remplit le rôle d'aliment réconfort, un aspect de la nutrition à ne pas négliger chez les enfants. On le choisit nature ou à la vanille car les yogourts aux fruits contiennent beaucoup trop de sucre. Comme alternatives, je suggère le yogourt islandais Skyr ou le yogourt genre balkan, disponibles en épicerie.

Le **fromage cottage** que je recommande essentiellement **en accompagnement sur des légumes ou dans une salade permet d'augmenter la valeur alimentaire du repas en terme de protéines.** Attention aux autres fromages souvent trop gras ou trop salés, particulièrement les fromages crémeux tels que le camembert ou le brie. Les enfants préfèrent souvent le mozzarella. On pourra leur en offrir occasionnellement en collation avec un fruit (voir le chapitre sur les collations) ou en accompagnement au repas.

TRUC: Voici deux solutions de rechange intéressantes aux produits laitiers. Essayez-les avec vos enfants, peut-être qu'ils adoreront.

So Delicious:
Yogourt de lait de noix de coco.

Daiya:
Copeaux de tapioca à saveur de fromage cheddar.

10 Source: www.hsph.harvard.edu

Attention aux produits dérivés du lait

Les produits dérivés du lait tels que les poudings, les laits chocolatés, les crèmes glacées et les yogourts glacés devraient être considérés comme des friandises, sans plus. Bien que ces produits comportent certaines valeurs nutritives, ce sont quand même des gourmandises qui contiennent beaucoup trop de calories provenant des sucres et beaucoup trop d'additifs alimentaires.

Le calcium: l'argument vedette en faveur des produits laitiers

L'argument vedette en faveur des produits laitiers et qui nous incite à en consommer est son apport en calcium. Sachez que le type de calcium présent dans les produits laitiers est acidifiant pour l'organisme et difficile à digérer. L'un des rôles majeurs du calcium dans l'organisme est d'équilibrer l'acidité du corps. Le calcium du lait est lui-même une molécule acidifiante et ne peut donc pas jouer efficacement ce rôle.

Un point de vue scientifique

Selon David Ludwig, professeur de pédiatrie et de nutrition à l'École de médecine de Harvard et à l'Hôpital pour enfants de Boston, ainsi que Walter Willett, professeur d'épidémiologie et de nutrition et président du département de nutrition de l'École de santé publique de Harvard, «l'homme n'a absolument pas besoin de boire du lait de vache. **La majeure partie de la population globale n'en consomme pas, ou très peu, et jouit tout de même d'une excellente santé».** Ils déclarent: «À travers le monde, les taux de fractures sont moins élevés dans les pays qui ne consomment pas de lait, par rapport aux pays où on consomme des laitages. En plus, la consommation de lait ne protège pas des fractures chez l'adulte, selon une méta-analyse récente[11].»

Calcium et santé des os

La santé des os repose sur l'équilibre acido-basique de l'organisme. Plus on consomme des aliments transformés, plus l'acidité augmente au sein de notre organisme. Il existe un lien indéniable entre l'acidité du corps et la mauvaise santé des os. «Une alimentation riche en aliments alcalins, comme les fruits et les légumes, serait bénéfique pour la santé des os, selon un essai clinique américain[12].»

Pour des os en santé

Je recommande de manger des légumes lors des repas du midi et du soir et des noix en collation afin de favoriser un apport adéquat en bon calcium provenant d'une source végétale. **Les légumes verts consommés aux repas offrent, outre du calcium, les minéraux nécessaires à l'absorption et à l'assimilation de celui-ci.**

11 Source: quebec.huffingtonpost.ca/2013/08/05/lait-bon-mauvais-sante_n_3708896.html
12 Source: Ceglia, L., Harris, S.S., Abrams, S.A. et al. Potassium bicarbonate attenuates the urinary nitrogen excretion that accompanies an increase in dietary protein and may promote calcium absorption. *Journal of Clinical Endocrinology & Metabolism*, 2 déc. 2008. Texte intégral : jcem.endojournals.org. Extrait du site Passeportsanté.net.

Les meilleures sources de calcium

On devrait opter pour les sources de calcium végétales telles que les amandes, le brocoli, les graines de sésame, les graines de chia, les graines de lin et le kale, qui en sont d'excellentes. Même si ces aliments contiennent moins de calcium qu'un produit laitier, leur biodisponibilité est plus grande et leur absorption, deux fois plus efficace. Retenons qu'une tasse de lait contient 300 mg de calcium. On peut retrouver la même quantité de calcium dans une tasse de brocoli, une poignée de noix ou une petite portion de saumon ou de thon.

Le saviez-vous?

Le calcium contenu dans le brocoli est absorbé à 53% contre environ 35% pour un produit laitier.

Une trop grande disponibilité

L'une des problématiques demeure la trop grande disponibilité, variété et abondance de produits laitiers dans nos supermarchés. Les enfants sont beaucoup trop sollicités à en consommer. Pourtant, les vertus santé qu'on attribue aux produits laitiers n'ont jamais été scientifiquement établies à l'unanimité.

Se tourner vers le bio ou non?

Contrairement à une croyance répandue, il n'y a pas de danger à consommer un produit laitier non biologique au Canada. La législation du pays est bien réglementée et très stricte quant à l'utilisation des antibiotiques, des hormones de croissance et des médicaments chez les bovins. Il n'y a ni résidus hormonaux ni antibiotiques dans les produits que nous consommons au Canada[13]. Par contre, il pourrait y avoir des résidus de pesticides et d'autres produits de l'agriculture transmis par le biais de la nourriture de l'animal. Pour cette raison, **on devrait idéalement choisir les produits laitiers biologiques lorsque c'est possible. En consommant un aliment biologique, quel qu'il soit, on se rapproche de sa forme naturelle.** Aussi, grâce à sa popularité croissante, on trouve maintenant du lait biologique à peu près partout dans les épiceries traditionnelles et dans les épiceries de produits naturels.

En conclusion

Consommés en quantité raisonnable, les produits laitiers (lait, fromage, yogourt) sont des aliments nutritifs, sans plus. Ma recommandation quant à leur consommation est claire: **une portion par jour idéalement, occasionnellement deux.** Toute autre forme de produit transformé à base de produit laitier (pouding, lait chocolaté, crème glacée, yogourt glacé) devra être considérée comme une friandise ou un dessert et à ce titre seulement.

---

13 Source: L'Union des producteurs agricoles (UPA).

LES NIVEAUX DE TRANSFORMATION DES ALIMENTS

voir page 93 dans la seconde partie du livre consacrée aux enfants

Une alimentation saine limite les aliments transformés issus de l'industrie alimentaire. Pour bien comprendre les niveaux de transformation des aliments, prenons l'exemple d'une pomme. Une compote de pommes, même si elle provient de ce fruit, ne se retrouve évidemment pas dans la nature sous cette forme: il y a eu transformation. Une friandise à saveur de pomme a été encore plus transformée.

Voici quelques exemples de niveaux de transformation des aliments afin de mieux les comprendre

Aliments naturels (non transformés): se retrouvent sous leur forme initiale, telle que la nature nous les a présentés

» Viandes
» Œufs et laitage cru
» Légumes
» Fruits
» Graines et noix
» Eau

Aliments transformés de niveau 1:
peuvent contenir un maximum de 3 ingrédients

» Aliments dont on peut reconnaître visuellement l'état initial. Par exemple: lait, yogourt grec naturel, beurre d'amande ou d'arachide, soupe, céréales de grains entiers non commerciales comme le gruau.

Aliments transformés de niveau 2:
peuvent contenir un maximum de 5 ingrédients

» Aliments qui n'ont plus une apparence semblable à leur état initial, mais dont on peut reconnaître les ingrédients. Les aliments commerciaux, les biscuits d'avoine maison, les céréales commerciales de grains entiers.

Aliments transformés de niveau 3:
peuvent contenir plus de 5 ingrédients

Aliments dont on ne reconnaît plus visuellement leur état initial ni leurs principaux ingrédients. Par exemple: restauration rapide (*fast food*), friandises, chips, boissons gazeuses, biscuits commerciaux, etc.

Mes recommandations

» On privilégie toujours les aliments non transformés d'abord.
» On évite les aliments transformés de niveau 3, c'est-à-dire ceux dont la liste contient plus de 5 ingrédients et dont on ne reconnaît plus l'apparence initiale.

MON ENFANT DOIT-IL PRENDRE DES SUPPLÉMENTS?

À cause de l'alimentation industrialisée qui nous est proposée de nos jours, des sols de plus en plus déminéralisés et en tenant compte des connaissances que nous avons acquises en matière de nutrition, je considère que les suppléments ont maintenant une place dans l'alimentation des enfants.

Un rôle de premier plan

Tout d'abord, démystifions l'utilisation des suppléments. Certains ont pensé qu'ils étaient essentiellement réservés aux athlètes ou aux adultes. Aujourd'hui, on sait qu'ils peuvent jouer un rôle de premier plan auprès des enfants s'ils sont utilisés de manière justifiée.

Ajouter sans remplacer

Comme son nom l'indique, un supplément est un ajout, mais il ne doit en aucun cas remplacer un aliment disponible. Le but n'est pas d'échanger un aliment contre un supplément, mais de l'utiliser pour bonifier l'alimentation des jeunes à défaut d'un aliment.

Les deux suppléments que je suggère

Je suggère deux suppléments, selon les besoins de l'enfant: **le supplément de protéines en poudre** et **le supplément d'oméga-3**.

Le supplément de protéines en poudre

Le supplément de protéines en poudre est considéré comme un produit de santé naturel par Santé Canada[14]. Ce n'est pas un médicament, encore moins une drogue. C'est à mon avis un aliment purifié, tout simplement.

Augmenter la valeur en protéines

Je ne recommande jamais de donner de supplément de protéines en poudre aux enfants, à moins qu'ils ne consomment pas suffisamment de protéines alimentaires. Lorsqu'ajouté à une formule de crêpes, de gâteau ou de muffins par exemple, le supplément de protéines en poudre augmente leur valeur nutritive en bonifiant leur apport en protéines, tout simplement.

Il n'est pas ici question de donner à l'enfant des «shakes» de protéines hautement concentrés comme on le fait pour des sportifs, mais d'ajouter 2, 3 ou 4 grammes de protéines à un aliment pour répondre aux besoins de l'enfant, sans les dépasser.

---

14 La définition d'un supplément de protéines en poudre est, au moment d'écrire ces lignes, en processus de transition selon les informations disponibles sur le site de Santé Canada.

Ses avantages

Parmi ses avantages, le supplément de protéines en poudre s'utilise comme la farine et peut même la remplacer en partie dans la préparation d'un gâteau, de muffins ou de crêpes. Il se camoufle facilement, que ce soit dans un bol de céréales, un smoothie ou un dessert à préparer. Il est facile à digérer et bon au goût.

S'informer

Les suppléments de protéines en poudre sont des produits concentrés, il faut donc s'informer du bon dosage à utiliser pour les enfants. Bien lire les étiquettes.

Où les trouver

Ces produits sont souvent vendus dans les magasins de produits naturels.

Les oméga-3

Les acides gras sont des éléments indispensables à la vie. Sans eux, nous ne pourrions exister. Ils jouent un rôle clé dès la conception intra-utérine pour assurer le développement et la croissance du fœtus.

Leurs bienfaits

Parmi leurs nombreux bienfaits, la littérature scientifique leur prête:

» un rôle essentiel au niveau des os, des cheveux, des ongles et de la peau;

» la capacité non négligeable de stabiliser l'humeur;

» la capacité d'optimiser les fonctions cognitives (mémoire, concentration, langage, raisonnement, intelligence, acquisition des connaissances, résolution de problèmes, prise de décision, etc.) ;

» un rôle important quant au développement nerveux.

Les sources animales et végétales

Les oméga-3 sont de sources animales (les poissons gras tels que le maquereau, le saumon, le thon, la truite arc-en-ciel, le hareng et les sardines) ou de sources végétales (les graines de chanvre, de lin ou de chia et les huiles végétales).

Les oméga-3 se divisent en trois grandes catégories d'acides[15]:

» Acide alpha-linolénique - ALA (sources végétales)

» Acide docosahexaénoïque – ADH (sources animales)

» Acide eicosapentaénoïque – AEP (sources animales)

Pourquoi supplémenter ?

Certains enfants ne mangent pas de poisson ou très peu et leur alimentation ne leur fournit pas suffisamment d'oméga-3. Leur offrir un supplément sera alors une manière avantageuse de combler leurs besoins. **Les oméga-3 ne comportent que des avantages. Leurs bienfaits sont nombreux et ils sont sans danger ; aucun effet secondaire négatif ni risque pour la santé n'a été remarqué.** On pourra supplémenter en oméga-3 sous forme d'huile de poisson liquide ou en gélules.

---

15 Source : Wang, C., Chung, M., Liechtenstein, A., Balk, E. et al. Effects of Omega-3 Fatty Acids on Cardiovascular Disease. AHRQ Publication No. 04-E009-2. Rockville, MD: Agency for Healthcare Research and Quality, 2004.

Ma stratégie de supplémentation

Je recommande d'augmenter la consommation d'aliments riches en oméga-3 en offrant du poisson 3 fois par semaine au maximum à l'enfant et en prévoyant une supplémentation en oméga-3, que ce soit sous forme liquide ou en gélules.

La quantité requise

La consommation quotidienne que je recommande va bien au-delà des habituelles recommandations de Santé Canada. Je suggère un apport de 1000 à 1500 milligrammes par jour d'oméga-3 (combinaison d'ADH et d'AEP).

Des études démontrent une augmentation des bienfaits généraux des oméga-3 lorsqu'on les combine à des AGL (acide gamma-linolénique) et à de la vitamine D[16].

À quel moment de la journée

On offrira un supplément d'oméga-3 à son enfant une fois par jour, idéalement au déjeuner. S'il le digère mal, on lui donnera son supplément au souper, mais toujours au milieu ou à la fin du repas idéalement.

Deux périodes cruciales

Pour de meilleures performances liées à la concentration et pour optimiser les fonctions cognitives (mémorisation), les oméga-3 n'ont pas leur pareil. C'est pourquoi, que l'enfant réussisse bien à l'école ou qu'il éprouve des difficultés d'apprentissage, je suggère de supplémenter en oméga-3 à deux périodes spécifiques de l'année.

La première

Tard à l'automne, vers le mois de novembre et décembre jusqu'au congé des fêtes, les enfants ont habituellement besoin d'être soutenus pour terminer l'année. On pourra leur offrir un sérieux coup de pouce avec un bon supplément d'oméga-3.

La seconde

Lorsqu'arrive la période d'examens de fin d'année, la plupart des enfants sont mentalement épuisés par une longue année scolaire. La perspective des vacances si près peut aussi les démotiver à maintenir leur habituel niveau de performance. Beaucoup de parents le remarquent: l'application et la motivation flanchent souvent en fin d'année. Afin de soutenir leur concentration durant ces quelques semaines exigeantes, on prévoira une supplémentation dès le début du printemps, et ce, jusqu'à la fin des classes.

16 Sources: www.ascentaprofessional.com/fr/science/articles/les-enfants-ont-besoin-depa-de-dha-de-gla-et-de-vitamine-d-pour-%C3%AAtre-en-sant%C3%A9. Lindmark, L. et Clough, P. A 5-Month Open study with Long-Chain Polyunsaturated Fatty Acids in Dyslexia. *Journal of Medicinal Food, 2007*, 10:662-666. Sorgi, P.J., Hallowell, E.M., Hutchins, H.L. et Sears, B. Effects of an open-label pilot study with high-dose EPA/DHA concentrates on plasma phospholipids and behavior in children with attention deficit hyperactivity disorder. *Nutritional Jounal, 2007*, 6:16.

LE TDA/H (TROUBLE DÉFICITAIRE DE L'ATTENTION AVEC OU SANS HYPERACTIVITÉ)

Mettons les choses au clair. Je ne suis ni médecin ni psychologue et je n'ai aucunement la prétention de traiter le TDA/H. Je ne cherche pas non plus à influencer le choix des parents. Je souhaite simplement proposer aux avenues traditionnelles des approches complémentaires qui peuvent s'avérer fort utiles. **Conformément à mes croyances et à mon expérience, je sais pertinemment qu'on peut soutenir une démarche médicale par le moyen de la nutrition** et qu'on devrait toujours le faire.

Ce qu'est le TDA/H

Le TDA/H – trouble de déficit d'attention avec ou sans hyperactivité – est un trouble neuropsychologique qui réunit plusieurs conditions. Le TDA/H, également appelé trouble hyperkinétique (terme utilisé par l'OMS, soit l'Organisation mondiale de la Santé), se traduit par plusieurs manifestations de déficit d'attention, d'hyperactivité ou, paradoxalement, d'apathie, d'impulsivité et de manque de concentration[17].

Le diagnostic

Pour identifier le TDA/H, la médecine moderne a développé de nombreux outils diagnostics. Grâce à la recherche, des marqueurs biochimiques ont même été identifiés et reconnus.

Sur le plan génétique, certains gènes ont été identifiés (ex.: séquence 40-bp: chromosome 5p15.3). Sur le plan hormonal, par exemple, un niveau de dopamine (neurotransmetteur naturel) plus bas dans des endroits clés du cerveau a été remarqué.

Des anomalies structurelles du cerveau identifiées par imagerie (*brain scanning*) semblent aussi relatives au TDA/H[18]. Dans les faits et surtout dans la pratique habituelle, pour poser un diagnostic de TDA/H, les médecins et spécialistes se réfèrent au manuel psychiatrique DSM-5, la bible médicale des maladies psychiatriques, et aux tests psychométriques comme les grilles ou questionnaires de Conners (il existe d'autres grilles et questionnaires qui sont utilisés selon le cas). On procède aussi par l'élimination d'autres facteurs: stress, fatigue, malnutrition, et par des examens complémentaires, entre autres des observations cliniques du patient par le médecin. Parmi toutes ces méthodes de diagnostic, aucune n'est fiable à 100% à ce jour. Les parents, professeurs, médecins traitants et leurs équipes sont mis à contribution pour poser un diagnostic final.

---

17 Source: www.nutranews.org/sujet.pl?id=317
18 Source : www.tdah.be/tdah/images/pdf/site/Documentation/2001%20etat%20des%20connaissances.pdf

Plusieurs points de vue

Pour cette raison, certains prétendent que le diagnostic n'est qu'une simple évaluation psychologique qui ne s'appuie sur aucune certitude scientifique et, par le fait même, que le TDA/H est un trouble fictif. On va jusqu'à prétendre que ce trouble diagnostiqué depuis peu est une invention pharmacologique qui fait vendre beaucoup (trop) de médicaments. D'autres avancent qu'un tel diagnostic dégage les parents et les professeurs de leur responsabilité en ce qui concerne l'éducation à prodiguer aux enfants.

Si certains s'insurgent quant au fait qu'on «drogue» nos jeunes, quantité de parents jurent qu'un diagnostic de TDA/H et une médication appropriée ont littéralement changé la vie de leur enfant et la leur par le fait même. Comme on peut le constater, les points de vue sur la question sont nombreux et contradictoires.

Le «père» du TDA/H

Le Dr Leon Eisenberg, qu'on a surnommé le «père» du TDA/H, se serait ravisé avant de mourir relativement à sa théorie sur ce trouble neuropsychologique en déclarant que le TDA/H est un trouble fictif. Quoi qu'il en soit, le concept était lancé, il était dorénavant impossible de faire marche arrière. Un nouveau «trouble» était né. Les opposants au TDA/H soutiennent que traiter de manière chimique un problème qui n'offre aucune indication biochimique ou basé seulement sur des tests ou évaluations psychométriques est un non-sens.

La médication

Environ 70% des enfants sous médication ont vu leur état s'améliorer[19]. **La voie actuellement offerte par la médecine traditionnelle n'est donc d'aucun secours dans 30% des cas. Compte tenu de ces statistiques, il importe d'explorer d'autres avenues pour améliorer la situation.** Ceux qui ne répondent pas au traitement conventionnel devront envisager la possibilité d'avoir reçu un mauvais diagnostic.

Que penser de la médication du point de vue naturopathique?

Il est clair pour moi que lorsque diagnostiqué, le TDA/H se doit d'être traité. Je ne suis pas un spécialiste en la matière, mais je suis souvent confronté à ce diagnostic médical dans ma pratique en tant que naturopathe. Je remarque que les parents ayant à conjuguer avec ce diagnostic pour leur enfant se sentent souvent impuissants et même coupables face à la panoplie de médicaments proposés: stimulants, antidépresseurs, antipsychotiques et autres familles de médicaments. Je considère que la médication conventionnelle est un outil de traitement qui peut parfois permettre

une diminution des symptômes du TDA/H sans nécessairement être le traitement ultime.

Un exemple concret

Un parent m'expliquait que son enfant atteint du TDA/H souffrait beaucoup d'anxiété et ne parvenait pas à suivre quelque forme de traitement que ce soit, ni soutien psychothérapeutique ou coaching en parallèle. Son cerveau semblait «bloqué», surchargé! Puisqu'il me demandait mon point de vue sur la question, je lui ai suggéré de suivre les recommandations de son médecin. **Le fait de prendre la médication proposée permet dans un premier temps de stabiliser l'enfant, mais aussi de calmer son cerveau, de mettre un terme à des comportements inappropriés et, surtout, de soulager la tempête dans sa tête.**

Comme un antibiotique accomplit son travail afin que le système immunitaire reprenne le contrôle de la situation, le médicament prescrit à l'enfant TDA/H accorde un répit à son cerveau et lui permet de reprendre le contrôle sur d'autres aspects de sa vie. **Le TDA/H influence le mode de vie de l'enfant et le mode de vie influence l'expression du TDA/H chez l'enfant.**

---

19 Source : www.cerc-neuropsy.com/fr/mieux-comprendre/tdah-et-medication

Ma proposition: Une stratégie en trois volets

Je considère qu'on doit prendre en compte trois volets essentiels du mode de vie sur lesquels nous avons tous la capacité d'intervenir, avec ou sans médication. Ces trois volets sont la NUTRITION, la SUPPLÉMENTATION et l'ACTIVITÉ PHYSIQUE.

Le premier volet: la nutrition

La nutrition est un élément que je considère comme primordial. Elle assure une plus grande qualité de vie et une meilleure santé générale aux jeunes diagnostiqués du TDA/H.

Je crois que la nutrition semble un élément de plus en plus important dans le traitement du TDA/H chez l'enfant comme chez l'adulte. Comme l'explique l'étude de Wender et al. (1991): «La libération soudaine d'insuline et la baisse du glucose sanguin causées par une consommation de sucres raffinés (hypoglycémie réactive) augmentent rapidement l'adrénaline, générant un comportement agressif, d'hyperactivité et des problèmes d'attention[20].» Cela n'aide certainement pas la condition des enfants TDA/H.

Je propose donc de réduire les sucres raffinés, c'est-à-dire ceux provenant des aliments transformés, et de privilégier les aliments naturellement sucrés comme les fruits.

Les enfants TDA/H sont souvent en quête de sucres raffinés, car leur cerveau recherche une source de stimulation. Les sucres raffinés provenant de l'industrie alimentaire sont, à cause de leur concentration et de leur forme chimique, des stimulants et des excitants qui créent une accoutumance envers les sucres. Proposons donc d'abord des fruits, puis en moindre quantité des gâteries. Remplaçons les pâtes par le riz complet ou les pommes de terre, accompagnés d'une source suffisante de protéines (viandes, poissons, œufs).

TDA/H et obésité

Je crois aussi, comme mentionné dans la troisième édition des Lignes directrices canadienne sur le TDA/H qu'«il existe une forte association entre le surpoids/l'obésité et des symptômes du TDA/H chez les enfants, les adolescents et les adultes. Il est suggéré que les comportements d'inattention et impulsifs qui caractérisent le TDA/H pourraient contribuer à la suralimentation*».

Je crois aussi, comme le suggère ce document, que **«Les parents qui s'inquiètent que leur enfant mange peu, mange trop de "malbouffe", ou refuse de manger un certain groupe d'aliments pourrait s'améliorer si le médecin prenait le temps d'évaluer l'alimentation et qu'on leur donnait des stratégies pour encourager la saine alimentation*».**

---

20 Source: Davis, C. Attention deficit/hyperactivity disorder: associations with overeating and obesity.

Le deuxième volet: la supplémentation

De toutes les propositions de suppléments énoncés en rapport au TDA/H, celle de supplémenter en oméga-3 demeure la plus scientifiquement probable. Beaucoup d'études concluent que le fait de supplémenter en oméga-3 améliore les conditions des enfants TDA/H.

Supplémenter en oméga-3 est une avenue accessible, facile à maintenir et peu coûteuse. Que l'enfant soit sous médication ou non, la supplémentation en acides gras essentiels, et particulièrement en oméga-3, demeure un traitement non pharmacologique à envisager.

Ainsi, dès l'apparition des premières difficultés scolaires ou au moindre constat de trouble d'attention, de problèmes de concentration ou de difficultés à mémoriser, on devrait supplémenter le plus rapidement possible et, s'il le faut, consulter un médecin.

Avec ou sans diagnostic de TDA/H, avec ou sans médication, l'utilisation d'oméga-3 est une approche favorable et sans risque pour la santé. Toutefois, les résultats peuvent mettre quelques semaines avant de se faire sentir et c'est normal.

Ce qu'en dit la science

«Les troubles déficitaires de l'attention avec ou sans hyperactivité (TDA/H) sont des désordres psychiatriques observés chez certains enfants et habituellement traités par des médicaments pharmaceutiques de la famille des stimulants tels que Ritalin, Vyvanse et Concerta. **Des études démontrent l'intérêt de consommer des oméga-3 sous forme de supplément alimentaire. Il a été prouvé qu'une supplémentation en oméga-3 réduit l'inattention et les symptômes du TDA/H[21].»**

Un déficit d'acides gras essentiels

Des sources bien documentées avancent que tous les cas de TDA/H présentent un point en commun, soit un déficit alimentaire en certains acides gras essentiels dont les oméga-3 (ADH : acide docosahexaénoïque) et les oméga-6 (GLA: acide gamma linolénique), comparativement à ceux qui n'en souffrent pas. On aurait aussi remarqué un déficit en zinc et en magnésium chez les personnes diagnostiquées du TDA/H, deux oligo-éléments indispensables à la vie[22]. *Neuropsychopharmacology. 19 mars 2015. doi: 10.1038/npp.2015.73.

Un important soutien

Plusieurs publications scientifiques affirment qu'une combinaison d'acides gras oméga-3, provenant d'huile de poisson, et d'acides gras oméga-6 AGL (acide gammalinolénique), provenant d'huile d'onagre, peut offrir un important soutien aux enfants (ainsi qu'aux adultes) atteints de troubles de comportement et d'apprentissage. Dans une étude pédiatrique réalisée en 2010, un énoncé a retenu mon intérêt: «Pour ces raisons, une telle combinaison d'acides gras naturels peut être une option intéressante à explorer avant de prescrire et d'administrer le méthylphénidate ou autres stimulants du système nerveux aux personnes atteintes de TDA/H*.»

On croit aussi que «le changement des niveaux sanguins d'acides gras semble associé à une réduction des symptômes de TDA/H, le changement le plus notable étant l'augmentation des concentrations d'acides gras oméga-3[23]».

Pour en apprendre plus sur la question, je vous suggère de vous référer au chapitre sur les suppléments.

21 Source: Reduced Symptoms of Inattention after Dietary Omega-3 Fatty Acid Supplementation in Boys with and without Attention Deficit/Hyperactivity Disorder.
22 Source: Schuchardt, J.P., Huss, M., Stauss-Grabo, M. et Hahn, A. Significance of long-chain polyunsaturated fatty acids (PUFAs) for the development and behaviour of children. *European Journal of Pediatric*, février 2010, 169(2):149-164.
23 Source: Johnson, M., Månsson, J.E., Ostlund, S. et al. Fatty acids in ADHD: plasma profiles in a placebo-controlled study of Omega 3/6 fatty acids in children and adolescents. *Attention Deficit Hyperactivity Disorder*, déc. 2012, 4(4):199-204.

Le troisième volet: l'activité physique

L'activité physique constitue un autre élément fondamental. Personnellement, je crois que l'exercice pratiqué sur une base régulière peut jouer un rôle déterminant dans les cas de TDA/H, allant parfois jusqu'à améliorer le trouble de 50%. L'exercice est in-dis-pen-sa-ble.

? **Le saviez-vous?**

Faire de l'exercice est d'abord et avant tout une activité cérébrale, puisque l'influx nerveux part du cerveau. Pour cette raison, sachez que chaque fois que votre enfant pratique une activité physique, il pratique aussi une activité cérébrale.

Que du positif

La pratique d'un sport ou d'une activité physique, quelle qu'elle soit, n'a que du bon. Elle défoule, calme le corps et l'esprit, permet une meilleure concentration.

Moins d'activité physique dans les écoles

Ces dernières années, on a diminué le nombre d'heures consacrées à l'activité physique dans plusieurs écoles du Québec. Imposer de longues heures d'études sans les entrecouper de périodes consacrées à une activité quelconque est une véritable aberration. Si nous, adultes, peinons à rester concentrés pendant 7 heures sur un travail que nous aimons, pourquoi exiger des enfants qu'ils y parviennent sur les bancs d'école?

Les enfants sont faits pour bouger, les garçons en particulier

Sous sa forme actuelle, l'école semble de moins en moins adaptée pour les enfants en général, mais plus particulièrement pour les garçons qui de par leur nature ont besoin de dépenser leur énergie au fur et à mesure. **La réduction du nombre d'heures consacrées à l'éducation physique rend l'école de moins en moins adaptée pour beaucoup d'enfants, particulièrement pour les garçons.** Conséquemment, ils sont nombreux à se perdre dans leurs pensées, fuyant l'ennui à leur manière.

Les garçons et la testostérone

Les hormones jouent un rôle fondamental durant une activité sportive. Le développement hormonal chez les jeunes garçons est intrinsèquement lié à l'activité physique. La testostérone égale force et endurance, ce qui n'a rien à voir avec la lecture d'un bon roman! Les garçons ont besoin de bouger et ils doivent le faire pour s'assurer un développement harmonieux.

Puisque le temps alloué aux activités physiques en milieu scolaire n'est pas suffisant, j'encourage les parents à inciter leurs enfants à s'épanouir dans une activité physique ou un sport, quel qu'il soit. Un choix dont l'incidence se fera sentir sur les performances scolaires.

Ma recommandation

Prévoir entre 2,5 et 5 heures d'activité physique durant la semaine, en dehors des cours d'éducation physique dispensés à l'école. Et même plus, si possible! Si votre enfant respecte cette recommandation, vous remarquerez sûrement une amélioration notable de sa concentration et de sa capacité de mémorisation.

Plus de cas de nos jours

Il n'y a pas si longtemps, les cas de TDA/H étaient beaucoup moins nombreux. Parallèlement, les jeunes bougent beaucoup moins qu'avant. Non, ce n'est pas la seule influence (cause ou corrélation?), mais le temps consacré à l'exercice demeure un aspect à ne pas négliger dans cette discussion.

Les technologies

Le déclin du temps consacré à l'activité physique semble proportionnel à l'expansion des technologies. Ordinateurs, tablettes et cellulaires jouent un rôle prépondérant dans cette situation. Les nombreuses heures consacrées aux activités électroniques ont causé des enjeux importants chez les jeunes, notamment la sédentarité et, par la force des choses, les risques d'obésité.

Un fait scientifiquement reconnu

Dans un article publié en 2012 sur le site de l'Université de Montréal, on rapportait que la capacité d'attention était accrue après un programme d'activités physiques régulières. « "Il y a longtemps eu un consensus populaire voulant que l'activité physique soit une bonne chose pour les enfants qui ont un trouble déficitaire de l'attention avec ou sans hyperactivité [TDA/H] parce que, par définition, ces enfants bougent sans cesse. Mais aucune étude empirique n'avait validé cette croyance... jusqu'à aujourd'hui", déclare Claudia Verret, diplômée en kinésiologie de l'Université de Montréal et professeure à l'UQAM. Dans le cadre de son doctorat, elle a démontré qu'un programme d'activités physiques de 10 semaines pouvait améliorer significativement les comportements et les fonctions cognitives d'enfants âgés de 7 à 12 ans aux prises avec un TDA/H[24]. »

Le témoignage d'une mère

Une mère de 5 enfants, dont un diagnostiqué du TDA/H, me confiait récemment avoir constaté à quel point le petit déjeuner avait une grande influence sur le déroulement de la journée de tous ses enfants. Un bon déjeuner soutient leur concentration et leur permet d'être plus calmes sur les bancs d'école. En tant que parent, elle se sentait la responsabilité d'assurer un départ réussi chaque matin avec un bon déjeuner.

Le témoignage d'une directrice d'école

Une directrice d'établissement scolaire me confiait récemment que dans une école d'un quartier pauvre de Montréal, plusieurs enfants se présentaient dans la cour d'école avec le contenu de leur déjeuner dans un petit sac de plastique: des céréales commerciales concentrées en sucre et des friandises. Ces mêmes enfants sont ceux qu'on remarque en classe: ils sont excités et peinent à se concentrer. Elle espérait qu'on puisse voir un jour une nutritionniste ou un naturopathe enseigner aux parents de son école à nourrir leurs enfants. Et, disait-elle, une alimentation adéquate pourrait sûrement éviter de nombreux diagnostics de TDA/H.

---

24 Source : www.nouvelles.umontreal.ca

En résumé, voici mes recommandations de base pour les enfants aux prises avec un TDA/H, un trouble de mémorisation ou de concentration.

1- Alimentation contrôlée en sucres

Réduire les sucres raffinés le plus possible (aliments transformés). Choisir des aliments à teneur élevée en fibres. Préférer les fruits aux friandises ; les pommes de terre et le riz complet aux pâtes.

2- Apport en oméga-3 et en oméga-6

Envisager une supplémentation adéquate en oméga-3, liquide ou sous forme de gélules, pour un total de 4 à 6 grammes d'oméga-3 de source animale. Il n'y a pas lieu de supplémenter l'alimentation en oméga-6. Ajouter simplement des huiles végétales (huile d'olive, de pépins de raisin, etc.), source naturelle d'oméga-6 à l'alimentation de votre enfant, tel qu'en vinaigrette sur leurs légumes.

3- Apport en zinc et en magnésium

Assurer une alimentation riche en zinc (Arnold et al., 2000), un minéral important dans la production de neurotransmetteurs comme la dopamine, et en magnésium (Starobrat-Hermelin et al., 1997) qui aide à réduire l'hyperactivité. Le premier se trouve dans les céréales complètes, les noix, le jaune d'œuf, le brocoli, etc. ; le second dans les flocons d'avoine, le pain complet, les légumes verts, les noix, etc.

4- Réduction des additifs et des colorants alimentaires

Les additifs et colorants alimentaires que l'on retrouve dans la plupart des produits transformés sont pointés du doigt dans les cas de troubles d'attention. On soupçonne qu'il existerait un lien entre ces substances et le TDA/H.

«En 2007, un essai clinique à double insu mené contre un placebo sur près de 300 enfants âgés de 3 ans ou de 8 ans à 9 ans, a démontré que la consommation de colorants ou d'additifs alimentaires artificiels augmentait l'hyperactivité des enfants[25].»

Encore une fois, on revient au même discours: éviter le plus possible l'alimentation trans-formée.

5- Hydratation suffisante

Assurer une hydratation suffisante tout au long de la journée. La moindre déshydratation, aussi minime soit-elle, affectera les fonctions de mémorisation et de concentration. Si c'est le cas, l'enfant pourrait être amorphe ou surexcité.

6- Planification de l'exercice physique

Évaluer le temps réservé à l'activité physique et l'augmenter s'il y a lieu. Outre ses cours d'éducation physique à l'école, l'enfant devrait faire un minimum de 2,5 à 5 heures de sport durant la semaine. On planifie donc son horaire pour qu'il puisse se consacrer à l'exercice physique.

Un point important à retenir

Un enfant qui n'a pas déjeuné ou qui s'est mal nourri au saut du lit (avec des céréales commerciales, par exemple) risque de démontrer des signes d'hypoglycémie: difficulté de concentration, ralentissement d'exécution des mouvements, manque d'énergie. Parfois, l'enfant aura un trop-plein d'énergie, mais à court terme. Il pourra aussi manifester des signes relatifs au TDA/H, soit de l'excitation et de l'agitation, son cerveau cherchant un moyen de stimulation. Un déjeuner adéquat composé d'aliments non transformés tel qu'une omelette (source de protéines) et des petits fruits (source modérée de glucides) stabilisera son énergie et sa concentration. Une bonne collation (un fruit et des noix) en milieu de matinée poursuivra ce travail de stabilisation jusqu'au repas du midi. **Évitez les friandises, les céréales commerciales, les barres dites santé, qui contiennent beaucoup trop de sucre.** Proposez plutôt à votre enfant des aliments non transformés. Faites vos barres nutritives maison. (Voir recette page 140.)

---

25 Source: www.passeportsante.net/fr/Maux/Problemes/Fiche.aspx?doc=trouble-deficit-attention-hyperactivite-pm-approches-complementaires

Note aux lecteurs

Si vous soupçonnez un trouble d'attention chez votre enfant, il est fortement suggéré de consulter un médecin et d'entreprendre des démarches pour le faire évaluer. Aussi, vous devez obtenir l'appui d'un professionnel de la santé avant d'effectuer quelque changement que ce soit chez un enfant diagnostiqué du TDA/H et déjà sous médication. Discutez avec une personne avisée des différentes options possibles.

Soyez ouvert d'esprit, mais ne vous laissez pas influencer par toutes les informations qui circulent sur Internet ou dans les médias. Prenez le temps de bien vous informer.

Consultez le site www.caddra.ca

CADDRA est un organisme national indépendant à but non lucratif qui effectue des recherches, traite des patients et crée des lignes directrices pour le TDA/H.

NOS ENFANTS: OTAGES DE LA PUBLICITÉ

Au Québec, la Loi sur la protection du consommateur interdit la publicité à but commercial destinée aux enfants âgés de moins de 13 ans[26]. Malgré tout, ils sont malheureusement les plus ciblés. En effet, **les fabricants comme les commerçants usent de différentes stratégies pour attirer l'attention des jeunes vers leurs produits, que ce soit des couleurs et des formes de contenants attrayantes.**

Facilement accessibles

Ces produits, disposés à leur hauteur sur les tablettes, leur sont facilement accessibles. Même les enfants assis dans leur poussette n'y échappent pas! On a prévu le coup en positionnant les produits cibles pour que nos petits puissent les voir et les tripoter à souhait.

La gestion des crises

Après avoir sillonné les différentes allées de l'épicerie, bien des parents doivent gérer des crises une fois arrivés aux caisses. La multitude de paquets de bonbons et de gommes à mâcher tous plus attirants les uns que les autres y contribuent largement! Épuisés, plusieurs parents finissent par céder aux cris, lamentations et demandes de leurs rejetons. Non, ces produits ne sont pas placés à la caisse par hasard... Ces friandises deviennent l'arme de résolution de conflits ultime des parents face à leur enfant déchaîné. Dans ce contexte, il n'est pas étonnant que nos enfants développent souvent de mauvaises habitudes alimentaires durant leur jeunesse.

Offrez-leur des fruits

Les enfants aiment naturellement les fruits et c'est pour cette raison que l'alimentation transformée leur propose des imitations de fruits. Les bonbons sont sculptés dans la même forme et imitent leur saveur. Épargnez-vous plusieurs étapes: offrez-leur ce que la nature a déjà prévu pour eux. Rendez les assiettes de fruits attrayantes, elles plaisent généralement aux enfants.

---

26 Source: www.opc.gouv.qc.ca/fileadmin/media/documents/consommateur/bien-service/index-sujet/guide-application.pdf

LE CULTE DE LA MINCEUR

Le culte de la minceur ne date pas d'hier. Il y a plus de 2000 ans, Cléopâtre n'était pas que reine d'Égypte, elle était aussi reine de beauté. Elle nous a laissé de célèbres recettes pour la peau et les cheveux.

Dans la nature, on sait depuis longtemps que pour attirer leurs partenaires, certains oiseaux déploient leurs plumes colorées dans le but de faire étalage de leurs attributs. De tout temps, la beauté a été une préoccupation. Il semble naturel de prendre soin de son apparence et d'offrir une image soignée.

Le manque de diversité

De nos jours, la publicité impose un modèle unique (ou presque), celui de la minceur. Exit la diversité. Il aura fallu une volonté féroce de changer les choses pour que l'industrie de la mode fasse table rase des mannequins anorexiques et nous présente des modèles qui se rapprochent un peu plus de la réalité. Mais les dommages sont faits. Très tôt, les petites filles rêvent de minceur et se battent contre leur propre image, même si elle est déjà «parfaite», c'est-à-dire santé. Combien de filles prépubères se sont-elles dites insatisfaites de leur corps? Elles sont légion.

Un idéal sur papier glacé

Alors que Photoshop fait disparaître kilos en trop et cellulite, plusieurs jeunes ont un idéal de beauté et de minceur qui n'existe que sur papier glacé. Et cet idéal semble être devenu un but à atteindre, et ce, de plus en plus tôt dans la vie.

Et les garçons

Pour les garçons, la course effrénée aux muscles est devenue obsessive, mais elle survient plutôt vers la fin de l'adolescence.

Le culte de la minceur s'établit souvent durant l'enfance. Selon les données de Statistique Canada recueillies en 2014:
- » 1 jeune sur 5 souffre d'embonpoint ou d'obésité, ce qui représente 20% de cette population;
- » 40% des femmes au régime l'ont été une première fois avant l'âge de 9 ans;
- » 1 fille sur 3 essaie de perdre du poids malgré un poids santé correct.

Vouloir un corps en santé est sain, prendre des moyens qui nuisent à la santé pour tenter d'y parvenir ne l'est pas. Un enfant ne devrait jamais être au régime, à moins d'avoir reçu un avis médical en ce sens et si c'est le cas, cette démarche doit être supervisée, encadrée. Sinon, ce mot négatif et privatif ne devrait jamais faire partie de son vocabulaire. Mieux vaut aborder la question sous l'angle d'un plan alimentaire ou d'une stratégie alimentaire, une manière beaucoup plus positive et constructive de dire les choses.

Les effets pervers des régimes restrictifs

Les régimes comportent plusieurs effets pervers dont ceux-ci:

» ils représentent un risque de malnutrition (manque ou excès de nutriments);

» ils peuvent mener à un désordre alimentaire;

» ils conduisent parfois à un désordre mental (anorexie, boulimie, orthorexie);

» ils peuvent avoir un impact sur les performances scolaires.

Le discours des parents

En la matière, le discours des parents est essentiel. Voici pourquoi.

Selon le Canadian Obesity Network, un enfant:

» remarque son image dans le miroir dès l'âge de 2 ans;

» commence à se préoccuper de son image corporelle dès l'âge de 3 ans;

» construit son image à travers le regard de ses parents entre l'âge de 0 et 7 ans;

» façonne son image à travers le regard des autres entre l'âge de 8 et 12 ans.

Si votre enfant se met au régime

Ne le confrontez pas, mais discutez de ses motivations. Travaillez en collaboration et expliquez-lui que les régimes permettent d'obtenir des résultats temporaires, alors que la solution durable est dans son assiette.

4 recommandations à table pour maintenir un poids santé

1. Réduire au minimum les aliments transformés tels que les friandises, le *fast food*, les jus de fruits, les boissons gazeuses.
2. Créer un horaire de repas et de collations.
3. Manger à table. Toujours.
4. Prévoir des desserts (voir la section consacrée aux dîners et soupers). Ils sont essentiels dans l'alimentation des enfants.

L'activité physique

Ne sous-estimez pas l'importance de l'activité physique, car elle permet de maintenir un poids santé et favorise l'équilibre mental. Prévoir tous les accessoires que les enfants aiment: ballon, bâton de hockey et filet, panier de basketball, vélo, etc.

« Ne sous-estimez pas l'importance de l'activité physique, car elle permet de maintenir un poids santé et favorise l'équilibre mental. »

10 CONSEILS POUR TOUTE LA FAMILLE

1 À chaque repas, assurez-vous de donner un apport en protéines suffisant à votre enfant. Il mangera moins de glucides et bénéficiera d'un effet de satiété pendant une plus longue période.

2 Encouragez-le à boire de l'eau. Entre 1 et 3 litres d'eau par jour, selon ses besoins. Un litre d'eau pure par jour est un minimum essentiel.

3 Planifiez les repas que vous offrirez à votre famille et achetez les aliments en conséquence. Faites une liste et tâchez de ne pas en déroger.

4 Ne faites jamais l'épicerie le ventre vide et accompagné de votre enfant qui n'a pas mangé. Vous pourriez être tenté par différents produits qui ne se trouvent pas sur votre liste et que vous ne souhaitez pas vraiment acheter.

5 Préparez des repas à l'avance et, si c'est possible, doublez les portions. Conservez-les dans des contenants prévus à cet effet. Ces repas pourront servir au souper, mais aussi dans la boîte à lunch de votre enfant.

6 Ne gardez pas à la maison les aliments que vous ne souhaitez pas voir votre enfant manger ou, du moins, regroupez ces aliments à un endroit moins accessible. Biscuits, sucreries, chips, bonbons, pâtisseries, boissons gazeuses devront être tenus à l'écart.

7 Après le souper, au lieu d'offrir un dessert à votre enfant, proposez-lui une collation à venir durant la soirée.

8 Au lieu d'offrir à votre enfant des bonbons ou des sucreries, offrez-lui un fruit. C'est l'aliment qui se rapproche le plus de la friandise.

9 Si votre enfant aime les boissons gazeuses, servez-lui plutôt du jus coupé avec de l'eau gazeuse, il adorera.

10 Il est normal que les enfants soient attirés par les aliments sucrés et gras. Comme les adultes. Le fait de réduire consciemment la consommation des aliments riches en sucre et en gras est déjà une amélioration en soi.

« RAPPELEZ-VOUS:
l'alimentation est une responsabilité
que les parents doivent se réapproprier.
Chaque geste compte. »

15 ALIMENTS SANTÉ À AJOUTER À SA LISTE D'ÉPICERIE

Voici une liste de 15 aliments santé à ajouter à votre liste d'épicerie s'ils n'y figurent pas déjà.

» Beurre d'amande
» Beurre de noisette
» Beurre d'arachide naturel
» Tartinade de beurre d'amande et de cacao (Nutella™ santé)
» Boisson d'amande à la vanille non sucrée
» Boisson d'amande au chocolat non sucrée
» Yogourt grec nature ou à la vanille
» Pâtes de grains entiers ou de légumineuses
» Compote de pommes non sucrée
» Noix mélangées au choix
» Fruits surgelés
» Jus de légumes
» Blancs d'œufs liquides
» Eau pétillante sans sucre
» Poudre de coco et poudre d'amande (pour remplacer la farine dans vos recettes)

LES QUESTIONS LES PLUS SOUVENT POSÉES

Lorsque je reçois mes clients en clinique, je constate que plusieurs d'entre eux sont préoccupés par l'alimentation de leur enfant. Il arrive souvent qu'au passage, on me demande mon point de vue sur une situation ou encore un conseil pour résoudre une problématique. Voici quelques-unes des questions qui me sont le plus fréquemment posées.

Devrait-on privilégier les aliments biologiques?

Sans en faire une obligation, les aliments biologiques sont fortement recommandés. Ce choix implique un coût financier plus élevé, mais il en vaut parfois la peine. Par exemple, les citrons biologiques ne coûtent que quelques sous de plus. Nourrir sa famille avec des viandes biologiques peut par contre s'avérer beaucoup plus coûteux. Je conseille toujours aux parents de faire la part des choses. Dans la plupart des supermarchés, on trouve maintenant des aliments biologiques à prix concurrentiels. Comparez les prix et surveillez les spéciaux. Autre option, je propose d'acheter local. En effet, les produits locaux contiennent moins d'additifs de conservation que les produits importés. Plus la distance est grande entre le champ où ils ont été cultivés et notre table, plus nombreux sont les agents de conservation ajoutés.

Comme premier changement, avant même d'acheter des aliments biologiques, je suggère de réduire d'abord le nombre d'aliments transformés dans le panier d'épicerie. Un fruit ou un légume non biologique demeure un aliment santé.

À chaque repas, c'est la bataille pour faire manger mon enfant. Dois-je me battre pour lui faire manger ses trois repas par jour ou me plier à ses refus?

La décision de faire manger un enfant trois fois par jour vise principalement deux objectifs. Le premier, lui apporter les vitamines et nutriments dont il a besoin et le second, éviter des repas surchargés. Un enfant connaît rarement ses besoins réels, il faut insister pour qu'il mange au moins trois fois par jour, quitte à lui proposer les aliments qu'il préfère, des repas variés et colorés ou tout simplement de plus petites portions. L'appétit peut varier d'une journée à l'autre, il faut s'adapter.

Existe-t-il des manières de diminuer la quantité de sucre que je donne à mon enfant?

Le dessert, je l'ai déjà mentionné, est un incontournable: il fait partie de l'alimentation des enfants. Par contre, je suggère d'éviter le plus possible les desserts issus de l'alimentation transformée. Idéalement, on les prépare à la maison. Dans ce cas, on peut facilement diminuer la quantité de sucre dans une recette en intégrant de la compote de pommes, des bananes ou des dattes. Aussi, vous pouvez prendre l'initiative de couper de moitié la quantité de sucre indiquée dans les recettes, et ce, sans vraiment altérer le goût ou la texture du dessert. Votre enfant ne verra probablement même pas la différence!

Mon enfant veut toujours manger la même chose. Dois-je répondre à sa demande ou l'obliger à goûter d'autres aliments?

Aux parents qui ont des enfants qui n'aiment pas explorer, je propose un truc pour les amener à essayer d'autres aliments. **La variété alimentaire étant un gage de bonne santé**, je suggère d'appliquer la règle du 2/3-1/3. Les deux tiers de l'assiette pourront être garnis avec les aliments que l'enfant demande constamment, mais l'autre tiers contiendra un ou des aliments nouveaux. Les résultats peuvent être lents à venir, mais à long terme, ça devrait fonctionner. Le mot clé est sans l'ombre d'un doute persévérance.

Quel est le meilleur substitut de repas qu'on peut donner à un enfant?

Le smoothie. Composé essentiellement de trois ingrédients, il est facile à préparer et économique. Pour ce faire, on utilisera des fruits surgelés qui apporteront de la valeur nutritive, du goût et de la texture au smoothie. On ajoutera de l'eau ou une boisson d'amande à la vanille ou au chocolat, sans sucre ajouté, évidemment. Puis, le supplément de protéines en poudre bonifiera le smoothie. **C'est probablement la formule la plus nutritive qui combine l'alimentation conventionnelle et les suppléments alimentaires.**

Mes comportements alimentaires peuvent-ils influencer ceux de mon enfant?

Oui. Entre l'âge de 2 et 8 ans, l'enfant observe et imite ses parents, puis ajuste ses comportements en conséquence. Lorsque les parents s'alimentent mal, l'enfant tient pour acquis que cette manière de faire est correcte. **Si les parents se soucient de leur alimentation, il y a plus de chances que l'enfant adopte de bons comportements alimentaires.**

À un jeune âge, les émotions de mon enfant peuvent-elles influencer son niveau d'appétit?

Oui, assurément. Un enfant stressé, anxieux peut avoir tendance à changer son comportement alimentaire, parfois même radicalement. **L'alimentation est un indice de la vie émotionnelle de l'enfant.** Ceci étant dit, il est normal que l'appétit de l'enfant soit modulé par différentes circonstances. S'il mange moins ou refuse de manger, on pourra se questionner à savoir ce qu'il vit. On remarquera deux types de changements: les modérés et les progressifs. Chez le jeune qui passe de l'enfance à la phase prépubère, on verra un changement progressif sur un an, deux ans ou même trois ans. L'enfant qui vit un stress émotionnel risque de montrer un changement plus draconien, sur une courte période de temps. C'est à ce moment qu'il faudrait songer à investiguer pour mieux comprendre ce qu'il vit.

Est-ce normal que mon enfant mange beaucoup pendant certaines périodes?

Oui, c'est dû à ce qu'on appelle une poussée de croissance ou à un changement hormonal qui s'effectue dans son corps. La durée varie dans le temps, selon l'enfant.

Toujours soucieuse d'offrir une alimentation de qualité à mon enfant, je me demande quel aliment je devrais proscrire de son alimentation.

La réponse est simple: les aliments transformés. Comme je le dis toujours, tout aliment qui ne ressemble pas à ce à quoi il ressemblait à l'origine pourrait être écarté de son alimentation.

Si je dilue le jus de fruits de mon enfant avec de l'eau, est-ce «moins pire»?

«Moins pire», oui, effectivement. C'est une façon de diminuer l'apport en sucre tout en permettant à l'enfant de boire du jus de fruits.

Le sucre a-t-il un réel impact sur le comportement de mon enfant ou est-ce un mythe?

Le sucre agit à deux niveaux. Il est énergétique, mais à plus grande dose, il peut devenir un excitant. Les enfants n'ont pas tous le même niveau de tolérance au sucre. La quantité nécessaire varie d'un individu à l'autre, il faut donc évaluer à quelle dose l'enfant devient non pas stimulé, mais excité. Un enfant pourrait manger une tablette de chocolat et être énergisé, un autre pourrait manger deux morceaux et être excité.

TRUCS POUR FAIRE MANGER DES LÉGUMES AUX ENFANTS

Pour contourner les refus et convaincre leur enfant de manger des légumes, les parents sont souvent particulièrement créatifs. C'est pour cette raison que, via ma page Facebook, je les ai questionnés afin de connaître leurs trucs et astuces. Voici quelques-unes des réponses qui m'ont été données.

« Avec trempette de yogourt maison de différentes saveurs pour le cru... Et pour le cuit, avec sauce au fromage, fromage gratiné ou sur le BBQ en papillote... Succès garanti. »
Sylvia M R

« La trempette doit être la meilleure! Et les légumes crus un succès! »
Nathalie M

« Leur faire une belle assiette de style bonhomme. Par exemple: yeux en brocoli, nez en tomate cerise, bouche en carotte. »
Annie V

« Faire pousser notre jardin et faire participer nos enfants les a amenés à manger encore plus de légumes! »
Marie-Douce P

« Les passer dans le mélangeur et les mélanger dans les patates ou les sauces. »
Marielle C

« Dans les sautés ou les quiches. Les légumes sont petits et mélangés. Mais je leur enseigne à en manger et leur explique pourquoi c'est important! »
Sue M

« Mon fils est un gros mangeur de légumes comme nous, de la carotte au chou de Bruxelles. Il nous voit adopter une saine alimentation, alors il n'a pas le choix de suivre. »
Catherine R

« Quand on leur donne le choix, mais que tous les choix sont des légumes, ils s'en trouvent des préférés! Aussi, ne pas faire une fixation sur les légumes... Leur servir autre chose fait en sorte qu'ils ne s'écœurent pas. »
Marie F

« À la garderie de ma fille, on râpait des légumes pour les mettre dans les plats qui contenaient de la viande. Même dans les hamburgers. »
Yasmine C

« Pilés avec bouillon de poulet, ils en raffolent. »
Nancy D

« En purée dans la sauce à spaghetti, râpés dans le pain de viande. »
Nicole T

« Au retour de l'école, en collation, présenter divers légumes avec un accompagnement en sauce santé! »
Caroline Sylvie D

« Même en dessert... »
Rosanne P

« Plus ils en consomment petits, plus c'est simple! »
Dominique G

« Je dirais d'en essayer plusieurs variétés et souvent, parce que le goût change avec l'âge et rapidement. »
Mélanie B

« Sur un tableau, ajouter une étoile pour chaque légume mangé aux repas et prévoir une surprise lorsque l'enfant atteint un nombre d'étoiles donné! Les enfants adorent le ludisme pour les encourager! »
Line P

« Faut leur dire que Captain America mange ça. »
Catherine B C

« Des assiettes de légumes toujours à la portée de la main en guise d'entrée: la portion est toute mangée avant le souper! Comme ça, pas de chicane à table. »
Elise B-G

« Leur dire que c'est juste pour les grands. Tu t'obstines un peu pour dire que non, c'est juste pour les adultes et boum! une crise pour manger des légumes! »
Geneviève V

« Quand on fait cuisiner nos enfants, ils sont fiers de manger l'excellente recette qu'ils ont eux-mêmes préparée! »
Caroline S

« Dans les smooties! »
Manon R

« On fait de bonnes crèmes de légumes!
Même moi, je me fais avoir!»
Patrick H

« Je n'ai jamais caché les légumes que je
leur donnais. J'ai persévéré pour qu'ils
aiment ça! Maintenant, ils en redemandent!»
Émilie R

« Crus, accompagnés de houmous.»
Stéphanie B-M

« Je dis à mon garçon de 3 ans et demi que
les superhéros qu'il adore mangent tous
leurs légumes pour devenir forts! Ça fonctionne
super bien.»
Caroline G

« Gratinés au four.»
Julie St-L

« Éducatrice en CPE depuis plus de 15 ans
chez les 3-5 ans, je peux dire que l'imagi-
naire et l'humour sont les meilleurs alliés. Je les
questionne: *T'as quel âge, toi?* 3 ans, 3 bouchées!
Parfois, je leur dis: *Faites-moi pas la blague de
manger tous vos haricots, là!*»
Nancy M

« Du popcorn au chou-fleur. Huile de coco, sel
et petits morceaux de chou-fleur sur une
plaque au four à 450 °F pour quelques minutes!»
Cinthia N

« Parce que les enfants ont aussi besoin
d'avoir le sentiment de décider, on peut leur
préparer différents légumes précoupés et
présentés dans des bols. L'enfant pourra choisir
lui-même ceux qu'il met dans son assiette.»
Eugénie L-M

2^e PARTIE
POUR
LES ENFANTS

Pourquoi est-ce si important de bien manger?

Ça te permet:

- d'être en bonne santé
- d'être à ton meilleur dans les sports
- d'être plus fort(e)
- d'avoir de l'énergie pour jouer plus longtemps sans te fatiguer

- d'être plus concentré(e) et de mieux réussir à l'école
- d'être encore meilleur(e) dans tes activités préférées

Imagine que tu as une voiture de course. Est-ce que tu voudrais la remplir avec la meilleure essence pour que ta voiture roule plus vite et sans se briser? Oui. Eh bien, c'est la même chose pour l'alimentation et ton cerveau. Meilleure est ta nourriture, meilleur est ton cerveau.

Choisis ce qu'il y a de mieux pour toi.

Ton déjeuner

Le déjeuner permet à ton corps de produire
plein d'énergie
et de réveiller ton cerveau.

Déjeune dans les minutes qui suivent ton réveil.

Si tu te lèves à 7 heures … déjeune avant 8 heures.
Si tu te lèves à 8 heures… déjeune avant 9 heures.

Construis ton déjeuner

Compose ton déjeuner en choisissant 1 aliment dans chaque catégorie.

1	2	3	4
• céréales de grains entiers (non commerciales) • gruau (d'avoine) • rôtie de grains entiers	• boisson d'amande (non sucrée) • lait écrémé	• omelette avec du fromage • yogourt grec vanille • beurre d'arachide naturel, beurre de noix ou beurre d'amande • poignée de noix ou d'amandes (ou ajouté dans ton yogourt)	Pour te gâter! • un jus de fruits • un lait au chocolat

Les jours où tu vas pratiquer ton sport ou si tu as une grosse journée
à l'école, ça te prend beaucoup d'énergie.
Si tu souhaites te dépasser, tu auras besoin d'un déjeuner un peu plus costaud.
Ces matins-là, choisis deux aliments dans la troisième colonne.

Ta collation

Entre les repas, le matin, l'après-midi et le soir,
il te faut encore mettre de l'essence de qualité dans ton bolide.

Si tu es à l'école:

- 1 fruit + un morceau de fromage
- 1 fruit + 1 yogourt
- Salade de fruits
- Compote de pommes ou de fruits
- Tube de yogourt
- Coupe de fruits dans l'eau

Si tu es à la maison:

- 1 yogourt + quelques morceaux d'amandes ou de noix
- 1 yogourt + quelques copeaux de chocolat noir
- 1 fruit + 1 cuillère à soupe de beurre de noix,
de beurre d'amande ou de beurre d'arachide naturel
- 1 rôtie + beurre d'arachide naturel ou de noix

Un truc

Essaie de choisir les aliments les plus naturels possible.

C'est vrai que les bonbons, le jus, les chips, le chocolat sont bons au goût

et qu'ils te procurent du plaisir quand tu les manges!

Si tu choisis une gâterie, coupe la quantité de moitié.

Si tu manges généralement quatre biscuits,

manges-en deux… ☺

N'oublie pas que c'est toi qui choisis l'essence dans ton bolide: essaie de faire

les meilleurs choix pour toi.

Ton dîner et ton souper

Le midi et le soir, tes parents ou l'école vont te proposer des aliments
qui serviront encore à mettre de l'essence dans ta voiture.

Assure-toi d'avoir les bons aliments dans ton assiette.

Pourquoi tu dois boire de l'eau

Savais-tu que ton corps est composé à environ 60% d'eau? C'est beaucoup.
Chaque jour, tu devrais t'habituer à boire 4 verres d'eau.
Idéalement, pas tous en même temps! ☺ C'est plus facile que tu le penses: 1 verre à chaque repas et quelques gorgées ici et là durant la journée, et tu atteindras ton objectif!

Quelques trucs pour boire de l'eau

- Traîne une gourde d'eau avec toi quand c'est possible.

- Si tu es à l'école, prends le temps d'aller boire
quelques gorgées d'eau à la fontaine chaque fois que tu en as l'occasion.

- Si tu veux changer le goût de ton eau, demande à tes parents
d'ajouter ton fruit favori dans ton verre ou ta gourde.

- Avant de partir pour l'école, bois un verre d'eau.

- En rentrant de l'école, bois un autre verre d'eau.

Quand tu fais du sport

N'oublie pas de boire de l'eau une heure avant
et tout de suite après.
Et surtout, n'oublie pas ta gourde pour boire
tout au long de ton activité!

3e PARTIE
DES RECETTES POUR TOUTE LA FAMILLE

SOUPE AUX LÉGUMES ET AUX HARICOTS

— PORTIONS **8** —
— TEMPS DE PRÉPARATION **15 MIN.** —
— TEMPS DE CUISSON **15 MIN.** —

Ingrédients

- 1 oignon, haché
- 250 ml (1 tasse) de carottes, coupées en dés
- 250 ml (1 tasse) de céleri, coupé en dés
- 2 gousses d'ail, hachées finement
- 15-30 ml (1-2 c. à soupe) d'huile d'olive
- 1,25 L (5 tasses) de bouillon de légumes
- 250 ml (1 tasse) de chou vert, haché
- 250 ml (1 tasse) de courgette, coupée en dés
- 1 boîte de 796 ml de tomates en dés
- 30 ml (2 c. à soupe) de pâte de tomate
- 5 ml (1 c. à thé) de basilic séché
- 125 ml (½ tasse) de haricots rouges
  en conserve, égouttés
- 30 ml (2 c. à soupe) de persil frais, haché
- sel et poivre

Préparation

1. Dans une grande casserole, faire revenir les légumes et l'ail à feu moyen dans l'huile pendant 5 minutes.

2. Ajouter le bouillon de légumes, le chou, la courgette, les tomates, la pâte de tomate et le basilic. Couvrir et laisser mijoter pendant environ 15 minutes.

3. À la toute fin, incorporer les haricots rouges pour les réchauffer. Assaisonner au goût et, au moment de servir, garnir de persil.

Valeurs nutritives pour 1 portion
Protéines 3 g — **Lipides** 4 g — **Glucides** 13 g — **Calories** 91

Les valeurs sont calculées selon le FCÉN (Fichier canadien sur les éléments nutritifs).

SOUPE AUX LENTILLES

— PORTIONS **8** —
— TEMPS DE PRÉPARATION **15 MIN.** —
— TEMPS DE CUISSON **30 MIN.** —

Ingrédients

- 2 oignons, hachés

- 2 gousses d'ail, hachées

- 15 ml (1 c. à soupe) d'huile de carthame

- 2 carottes, coupées en rondelles ou en demi-rondelles

- 1 branche de céleri, émincée

- 1 pomme de terre, coupée en dés

- 2,5 ml (½ c. à thé) de sarriette

- 2,5 ml (½ c. à thé) de thym

- 1,25 L (5 tasses) de bouillon de légumes

- 250 ml (1 tasse) de lentilles sèches vertes ou brunes, rincées et égouttées

- 1 boîte de 796 ml de tomates en dés

- sel, poivre

Préparation

1. Dans une grande casserole, faire revenir les oignons et l'ail dans l'huile à feu moyen pendant 5 minutes. Ajouter les légumes et les herbes. Cuire une minute.

2. Ajouter le bouillon, les lentilles et les tomates. Amener à ébullition.

3. Laisser mijoter environ 25 minutes à feu moyen, ou jusqu'à ce que les lentilles soient cuites. Saler et poivrer.

Valeurs nutritives pour 1 portion
Protéines 8 g — **Lipides** 2 g — **Glucides** 28 g — **Calories** 160

Les valeurs sont calculées selon le FCÉN (Fichier canadien sur les éléments nutritifs).

SOUPE POULET ET ORGE

— PORTIONS **8** —
— TEMPS DE PRÉPARATION **15 MIN.** —
— TEMPS DE CUISSON **30 MIN.** —

Ingrédients

- 1 gros oignon, haché
- 1 branche de céleri, hachée grossièrement
- 1 grosse carotte, hachée grossièrement
- 30 ml (2 c. à soupe) d'huile d'olive
- 180 ml (³/₄ tasse) d'orge perlé ou de riz
- 1,25 ml (¼ c. à thé) de poivre noir, moulu
- 2 branches de thym frais
- 1 feuille de laurier
- 2 L (8 tasses) de bouillon de poulet ou de légumes, sans sel ajouté
- 330 g (2 poitrines de poulet) désossées sans la peau, cuites et coupées en cubes

Préparation

1. Dans une grande casserole, faire revenir l'oignon, le céleri et la carotte dans l'huile à feu moyen pendant 5 minutes.

2. Ajouter l'orge, le poivre, le thym, le laurier et le bouillon. Porter à ébullition et laisser mijoter à découvert pendant 15 minutes.

3. Ajouter les cubes de poulet et laisser mijoter encore 10 minutes.

Note : si vous utilisez du riz plutôt que de l'orge, le temps de cuisson sera moins long.

Valeurs nutritives pour 1 portion
Protéines 20 g — **Lipides** 5 g — **Glucides** 19 g — **Calories** 200

Les valeurs sont calculées selon le FCÉN (Fichier canadien sur les éléments nutritifs).

SALADE D'AVOCAT ET DE POULET

— PORTIONS **4** —
— TEMPS DE PRÉPARATION **15 MIN.** —
— TEMPS DE CUISSON **6 MIN.** —

Ingrédients

- 1 laitue romaine, lavée
- 2 avocats bien mûrs, coupés en dés
- le jus de ½ citron
- 250 ml (1 tasse) de cresson
- 500 ml (2 tasses) de tomates cerises, coupées en deux
- 1 poivron jaune, coupé en dés
- 1 petit oignon rouge, émincé
- 45 ml (3 c. à soupe) d'huile d'olive extra vierge
- 330 g (2 poitrines de poulet) désossées sans la peau, coupées en lanières
- 2 gousses d'ail, hachées
- 30 ml (2 c. à soupe) de miel
- 15 ml (1 c. à soupe) de vinaigre balsamique
- 15 ml (1 c. à soupe) de moutarde à l'ancienne
- sel et poivre

Préparation

1. Découper la laitue et la mettre dans un grand bol. Arroser les avocats du jus de citron et ajouter à la laitue. Ajouter le cresson, les tomates, le poivron et l'oignon rouge.

2. Dans une grande poêle, chauffer l'huile d'olive et faire revenir le poulet à feu moyen-vif pendant 5 minutes. Ajouter l'ail et remuer pendant 1 minute. Ajouter le miel, le vinaigre et la moutarde. Mélanger et retirer du feu. Déposer sur la salade et mélanger. Assaisonner au goût.

Valeurs nutritives pour 1 portion
Protéines 23 g — **Lipides** 28 g — **Glucides** 34 g — **Calories** 455

Les valeurs sont calculées selon le FCÉN (Fichier canadien sur les éléments nutritifs).

SALADE GRECQUE AU POULET

— PORTIONS **4** —

— TEMPS DE PRÉPARATION **15 MIN.** —

Ingrédients

- 250 ml (1 tasse) de tomates cerises, coupées en deux
- 1 concombre anglais, coupé en morceaux
- 1 poivron vert, coupé en cubes
- 1 oignon rouge moyen, coupé en rondelles
- 660 g (4 poitrines de poulet) cuites, coupées en cubes
- 60 ml (¼ tasse) d'olives noires, dénoyautées et tranchées
- 175 g de fromage feta, emietté
- 1,25 ml (¼ c. à thé) de thym séché
- 1,25 ml (¼ c. à thé) d'origan séché
- 30 ml (2 c. à soupe) de jus de citron
- 30 ml (2 c. à soupe) d'huile d'olive ou de pépins de raisin
- poivre

Préparation

1. Dans un bol, mélanger tous les ingrédients. Poivrer au goût.

2. Réfrigérer 30 minutes avant de servir.

Valeurs nutritives pour 1 portion

Protéines 35 g — **Lipides** 20 g — **Glucides** 13 g — **Calories** 375

Les valeurs sont calculées selon le FCÉN (Fichier canadien sur les éléments nutritifs).

SALADE NIÇOISE

— PORTIONS **4** —
— TEMPS DE PRÉPARATION **15 MIN.** —

Ingrédients

- 1 laitue au choix

- 500 ml (2 tasses) de haricots verts, blanchis 2 minutes

- 2 poivrons rouges, coupés en lanières

- 2 boîtes de 170 g de thon ou de saumon en morceaux dans l'eau, égoutté

- 60 ml (¼ de tasse) d'olives noires dénoyautées, tranchées

- 6 œufs cuits durs, écalés et coupés en quartiers

Vinaigrette

- 60 ml (¼ tasse) d'huile d'olive extra vierge

- 30 ml (2 c. à soupe) de jus de citron

- 10 ml (2 c. à thé) de moutarde de Dijon

- 1 pincée de poivre

Préparation

1. Dans un grand bol de service, mélanger la laitue, les haricots, le poivron, le thon et les olives. Déposer les œufs sur le dessus.

2. Dans un autre bol, mélanger tous les ingrédients de la vinaigrette. Verser sur la salade et mélanger délicatement. Servir.

Valeurs nutritives pour 1 portion
Protéines 29 g — **Lipides** 24 g — **Glucides** 14 g — **Calories** 375

Les valeurs sont calculées selon le FCÉN (Fichier canadien sur les éléments nutritifs).

BOUILLI DE LÉGUMES À L'ANCIENNE

— PORTIONS **8** —
— TEMPS DE PRÉPARATION **25 MIN.** —
— TEMPS DE CUISSON **2 H** —

Ingrédients

- 1,5 kg (3,3 lbs) de palette de bœuf, coupé en cubes
- 2 oignons, hachés
- 2 poireaux, coupés en rondelles
- 6 carottes, coupées en rondelles
- 4 branches de céleri, tranchées
- 1 chou vert, coupé en quartiers
- 500 ml (2 tasses) de haricots jaunes
- 500 ml (2 tasses) de haricots verts
- 1 branche de thym frais
- 1 feuille de laurier
- 60 ml (¼ tasse) de concentré de bœuf liquide
- Sel et poivre
- 6 œufs

Préparation

1. Dans une grande casserole, mélanger tous les ingrédients sauf les œufs. Couvrir d'eau, porter à ébullition et laisser mijoter pendant 2 heures. Saler et poivrer.

2. Pendant ce temps, placer les œufs dans une petite casserole. Couvrir d'eau, porter à ébullition et laisser cuire à feu moyen-doux pendant 9 minutes. Rincer sous l'eau froide.

3. Écaler les œufs et les trancher. Conserver les jaunes pour un autre usage.

4. Servir le bouilli de légumes avec les blancs d'œufs.

Valeurs nutritives pour 1 portion
Protéines 51 g — **Lipides** 28 g — **Glucides** 23 g — **Calories** 503

Les valeurs sont calculées selon le FCÉN (Fichier canadien sur les éléments nutritifs).

CHOP SUEY AU POULET

— PORTIONS **4** —
— TEMPS DE PRÉPARATION **15 MIN.** —
— TEMPS DE CUISSON **15 MIN.** —

Ingrédients

- 330 g (2 poitrines de poulet) désossées et sans la peau, coupées en cubes
- 30 ml (2 c. à soupe) d'huile végétale
- 1 oignon, émincé
- 250 ml (1 tasse) de brocoli, coupé en morceaux
- 2 branches de céleri, émincées
- 20 pois mange-tout
- 1 casseau de 227 g de champignons, coupés en quartiers
- 250 ml (1 tasse) de germes de soya (germes de haricots mungo)
- 1 poivron rouge, émincé
- 30 ml (2 c. à soupe) de sauce aux huîtres
- 15 ml (1 c. à soupe) de sauce tamari
- Sel et poivre

Préparation

1. Dans un wok ou une grande poêle, dorer le poulet dans l'huile à feu moyen-vif. Réserver dans un bol.

2. Dans la même poêle, faire revenir l'oignon pendant 3 minutes. Ajouter le brocoli et le céleri. Cuire 1 à 2 minutes.

3. Ajouter le poulet réservé et le reste des ingrédients en faisant sauter de temps en temps pendant quelques minutes. Assaisonner au goût.

Valeurs nutritives pour 1 portion
Protéines 35 g — **Lipides** 11 g — **Glucides** 13 g — **Calories** 278

Les valeurs sont calculées selon le FCÉN (Fichier canadien sur les éléments nutritifs).

MINI-BROCHETTES DE POULET SAUCE AUX ARACHIDES

— PORTIONS **4** —
— TEMPS DE PRÉPARATION **15 MIN.** —
— TEMPS DE CUISSON **15 MIN.** —

Ingrédients

- 180 ml (¾ tasse) de beurre d'arachide crémeux naturel
- 125 ml (½ tasse) d'eau
- 60 ml (¼ tasse) de cassonade
- 45 ml (3 c. à soupe) de jus de citron
- 30 ml (2 c. à soupe) de sauce soya
- 10 ml (2 c. à thé) de gingembre frais, râpé
- 1 gousse d'ail, hachée
- quelques gouttes de sauce piquante, au goût
- 500 g (3 poitrines de poulet) désossées, sans la peau et tranchées en lanières de 1 cm (½ po) d'épaisseur
- Brochettes de bois trempées dans l'eau

Préparation

1. Dans une casserole, mélanger le beurre d'arachide, l'eau, la cassonade, le jus de citron, la sauce soya, le gingembre, l'ail et la sauce piquante. Chauffer à feu moyen-vif en mélangeant avec un fouet jusqu'à ce que la sauce soit bien lisse. Laisser tiédir.

2. Enduire le poulet d'environ 125 ml de sauce. Réserver le reste de la sauce. Recouvrir et laisser mariner environ 1 heure au réfrigérateur.

3. Enfiler les languettes de poulet sur les brochettes.

4. Cuire les brochettes dans une poêle à feu moyen-vif de 2 à 3 minutes de chaque côté ou jusqu'à ce que le poulet soit cuit.

5. Déposer les brochettes dans un plat de service et servir avec le reste de la sauce.

Valeurs nutritives pour 1 portion
Protéines 40 g — **Lipides** 27 g — **Glucides** 26 g — **Calories** 490

Les valeurs sont calculées selon le FCÉN (Fichier canadien sur les éléments nutritifs).

OMELETTE CON CARNE

— PORTIONS **4** —
— TEMPS DE PRÉPARATION **15 MIN.** —
— TEMPS DE CUISSON **10 MIN.** —

Ingrédients

- 200 g (½ lb) de jambon, de poulet cuit
  ou de crevettes
- 4 blancs d'œufs
- 4 œufs entiers
- sel et poivre
- 15 ml (1 c. à soupe) d'huile végétale
- 2 pincées de noix de muscade râpée
- 2 pincées de piment de cayenne, au goût
- 1 poivron rouge, jaune ou orange,
  coupé en dés
- 30 ml (2 c. à soupe) de ciboulette ciselée

Préparation

1. Défaire la viande en morceaux ou décortiquer les crevettes. Réserver.

2. Dans un bol, casser les œufs et les battre. Saler, poivrer et réserver.

3. Faire chauffer l'huile dans une poêle anti-adhésive. Faire revenir la viande à feu moyen pendant 2 minutes. Ajouter la muscade, le piment de cayenne, le poivron et la ciboulette. Cuire encore 2 minutes.

4. Verser les œufs dans la poêle et mélanger délicatement. Lorsque l'omelette commence à prendre, cesser de brasser, couvrir, retirer du feu et laisser reposer de 2 à 5 minutes ou jusqu'à la cuisson désirée. Couper et servir.

Valeurs nutritives pour 1 portion
Protéines 24 g — **Lipides** 18 g — **Glucides** 3 g — **Calories** 276

Les valeurs sont calculées selon le FCÉN (Fichier canadien sur les éléments nutritifs).

PAIN DE VIANDE

— PORTIONS **6** —
— TEMPS DE PRÉPARATION **15 MIN.** —
— TEMPS DE CUISSON **1 H** —

Ingrédients

- **680 g (1 ½ lb) de bœuf haché extra-maigre**
- **250 ml (1 tasse) de flocons d'avoine à cuisson rapide**
- **1 oignon, haché**
- **1 grosse carotte, râpée**
- **7,5 ml (1 ½ c. à thé) de sel**
- **3 œufs, battus**
- **250 ml (1 tasse) de jus de tomate**
- **10 ml (2 c. à thé) de sauce Worcestershire**
- **10 ml (2 c. à thé) de ketchup**
- **poivre**

Préparation

1. Préchauffer le four à 180 °C (350 °F).
2. Dans un grand bol, mélanger tous les ingrédients. Poivrer au goût.
3. Presser le mélange dans un moule à pain de 12,5 x 22,5 cm (5 x 9 po.)
4. Cuire au four pendant 1 heure et laisser reposer 10 minutes avant de trancher.
5. Servir avec une sauce tomate.

Valeurs nutritives pour 1 portion
Protéines 30 g — **Lipides** 12 g — **Glucides** 17 g — **Calories** 306

Les valeurs sont calculées selon le FCÉN (Fichier canadien sur les éléments nutritifs).

PÂTÉ CHINOIS REVISITÉ

— PORTIONS **4 OU 5** —
— TEMPS DE PRÉPARATION **15 MIN.** —
— TEMPS DE CUISSON **40 MIN.** —

Ingrédients

- **1 oignon, haché**
- **1 échalote, hachée**
- **15 ml (1 c. à soupe) d'huile d'olive**
- **450 g (1 lb) de bœuf haché extra maigre**
- **sel et poivre**
- **1 boîte de 398 ml de maïs en crème**
- **1 L (4 tasses) de purée de chou-fleur**

Préparation

1. Préchauffer le four à 190 °C (375 °F).
2. Dans une poêle, faire revenir l'oignon et l'échalote dans l'huile à feu moyen.
3. Ajouter le bœuf haché et cuire en défaisant à la spatule de bois jusqu'à ce que le liquide soit presque complètement évaporé. Assaisonner au goût. Retirer du feu.

Assemblage du pâté chinois

4. Dans un plat de pyrex carré de 20 x 20 cm (8 x 8 po), étendre le bœuf haché. Couvrir de maïs en crème puis de purée de chou-fleur.
5. Cuire au four une trentaine de minutes jusqu'à ce que le dessus soit légèrement gratiné. Laisser reposer 10 minutes avant de servir.

PURÉE DE CHOU-FLEUR

Ingrédients

- **1 chou-fleur, coupé en bouquets**
- **1 pomme de terre moyenne, pelée et coupée en cubes**
- **eau**
- **sel et poivre**

Préparation

1. Dans une grande casserole, couvrir le chou-fleur et la pomme de terre d'eau. Saler et poivrer. Porter à ébullition et laisser mijoter à feu doux à couvert pendant environ 15 minutes ou jusqu'à ce que le chou-fleur soit tendre.
2. Bien égoutter puis réduire en purée à l'aide d'un robot culinaire ou d'un pilon à pomme de terre.

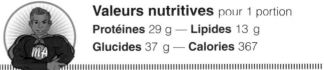

Valeurs nutritives pour 1 portion
Protéines 29 g — **Lipides** 13 g
Glucides 37 g — **Calories** 367

Les valeurs sont calculées selon le FCÉN (Fichier canadien sur les éléments nutritifs).

POIVRONS FARCIS

— PORTIONS **6** —
— TEMPS DE PRÉPARATION **25 MIN.** —
— TEMPS DE CUISSON **35 MIN.** —

Ingrédients

- 6 petits poivrons rouges, jaunes ou oranges
- 15 ml (1 c. à soupe) d'huile d'olive
- 1 oignon, haché
- 450 g (1 lb) de boeuf haché extra-maigre
- 250 ml (1 tasse) de riz brun cuit
- 1 tomate, épépinée et coupée en dés
- 125 ml (½ tasse) de jus de légumes
- 45 ml (3 c. à soupe) de basilic frais, haché
- 250 ml (1 tasse) de fromage mozzarella
  partiellement écrémé, râpé
- sel et poivre

Préparation

1. Préchauffer le four à 180 °C (350 °F).
   Laver soigneusement les légumes.

2. Couper la calotte des poivrons et les vider.
   Réserver.

3. Dans un poêlon, faire revenir l'oignon dans
   l'huile à feu moyen-vif. Ajouter la viande hachée et défaire à la spatule de bois jusqu'à ce
   qu'elle soit bien cuite.

4. Ajouter le riz, la tomate, le jus de légumes
   et le basilic. Saler et poivrer.

5. Poursuivre la cuisson 1 minute ou jusqu'à
   ce que le liquide soit presque complètement
   évaporé. Retirer du feu, ajouter le fromage
   et bien mélanger.

6. Farcir les poivrons avec le mélange. Déposer
   dans un plat peu profond allant au four.
   Recouvrir de papier d'aluminium et cuire
   30 minutes.

Valeurs nutritives pour 1 portion
Protéines 23 g — **Lipides** 12 g — **Glucides** 17 g — **Calories** 268

Les valeurs sont calculées selon le FCÉN (Fichier canadien sur les éléments nutritifs).

RAGOÛT DE BŒUF AUX TOMATES À LA MIJOTEUSE

— PORTIONS **6** —
— TEMPS DE PRÉPARATION **20 MIN.** —
— TEMPS DE CUISSON **5 H 30** —

Ingrédients

- 675 g (1 ½ lbs) de bœuf à ragoût en cubes
- 30 ml (2 c. à soupe) d'huile végétale
- 1 gousse d'ail, hachée
- Sel et poivre
- 250 ml (1 tasse) de bouillon de boeuf ou de poulet
- 1 boîte de 796 ml de tomates en dés aux fines herbes
- 250 ml (1 tasse) de chou vert, émincé
- 500 ml (2 tasses) de rutabaga, coupé en dés
- 2 carottes, coupées en dés
- 2 patates douces, pelées et coupées en dés

Préparation

1. Dans un grand poêlon, faire dorer les cubes de bœuf dans l'huile. Ajouter l'ail et cuire 30 secondes. Transférer dans la mijoteuse. Saler et poivrer au goût.

2. Ajouter le bouillon, les tomates en dés et les légumes.

3. Cuire à intensité élevée (high) pendant 5 heures 30 minutes ou toute la journée à basse température (low).

4. Servir avec un légume vert tel que le brocoli ou les pois sucrés.

Valeurs nutritives pour 1 portion
Protéines 25 g — **Lipides** 19 g — **Glucides** 20 g — **Calories** 350

Les valeurs sont calculées selon le FCÉN (Fichier canadien sur les éléments nutritifs).

SAUMON SAUCE TAMARI

— PORTIONS **4** —
— TEMPS DE PRÉPARATION **15 MIN.** —
— TEMPS DE CUISSON **10 MIN.** —

Ingrédients

- 60 ml (¼ tasse) de sauce tamari
- 60 ml (¼ tasse) de jus de citron
- 30 ml (2 c. à soupe) de cassonade
- 5 ml (1 c. à thé) d'huile de sésame grillé
- 5 ml (1 c. à thé) de gingembre frais, râpé
- 2 gousses d'ail, hachées finement
- 600 g (1 ¹/₃ lb) de filet de saumon, sans la peau

Préparation

1. Dans un bol, mélanger tous les ingrédients, sauf le saumon.

2. Déposer le saumon dans un plat de pyrex et verser la moitié de la marinade sur le dessus. Réserver le reste de la marinade.

3. Couvrir et laisser mariner 1 heure au réfrigérateur. Retourner le filet après 30 minutes pour bien l'enduire de marinade.

4. Préchauffer le four à broil.

5. Cuire le saumon pendant environ 10 minutes en ajoutant un peu de marinade à mi-cuisson, jusqu'à ce que la chair soit cuite mais encore rosée.

6. Au moment de servir, ajouter encore un peu de marinade.

Valeurs nutritives pour 1 portion
Protéines 33 g — **Lipides** 21 g — **Glucides** 9 g — **Calories** 366

Les valeurs sont calculées selon le FCÉN (Fichier canadien sur les éléments nutritifs).

SOUPE REPAS ASIATIQUE

— PORTIONS **6** —
— TEMPS DE PRÉPARATION **15 MIN.** —
— TEMPS DU CUISSON **15 MIN.** —

Ingrédients

- 330 g (2 poitrines de poulet) désossées, coupées en cubes
- 60 ml (¼ de tasse) d'huile végétale
- 2 L (8 tasses) de bouillon de poulet
- 30 ml (2 c. à soupe) de gingembre frais, haché
- Le zeste d'un citron
- 4 gousses d'ail, hachées
- 16 grosses crevettes crues, décortiquées
- sel, poivre
- 1,5 L (6 tasses) de vermicelles de riz cuits
- 2 oignons verts, émincés
- Sauce piquante au goût

Préparation

1. Dans une grande casserole, faire revenir le poulet dans l'huile à feu moyen-vif pendant 4 minutes. Ajouter le bouillon, le gingembre, le zeste de citron et l'ail. Porter à ébullition et laisser mijoter à feu doux pendant 10 minutes. Ajouter les crevettes et cuire encore 3 minutes. Rectifier l'assaisonnement.

2. Au moment de servir, répartir les vermicelles cuits dans des bols et y verser la soupe chaude. Garnir d'oignons verts et de sauce piquante au goût.

Valeurs nutritives pour 1 portion
Protéines 30 g — **Lipides** 12 g — **Glucides** 48 g — **Calories** 426

Les valeurs sont calculées selon le FCÉN (Fichier canadien sur les éléments nutritifs).

TARTARE DE SAUMON ET FRAISES

— PORTIONS **4** —
— TEMPS DE PRÉPARATION **30 MIN.** —

Ingrédients

- 450 g (1 lb) de filet de saumon de qualité tartare, sans la peau
- 1 échalote française, hachée finement
- 4 à 6 grosses fraises coupées en petits morceaux
- 15 ml (1 c. à soupe) de jus de citron
- 15 ml (1 c. à soupe) de zeste de citron
- 10 ml (2 c. à thé) d'huile d'olive
- 10 ml (2 c. à thé) de moutarde de Dijon
- Sel et poivre au goût

Purée d'avocat

- 2 avocats bien mûrs
- 15 ml (1 c. à soupe) de crème de table 15%
- 10 ml (2 c. à thé) de jus de citron
- 4 à 6 grosses fraises, coupées en petits morceaux
- Sel et poivre

Préparation

1. Couper le filet de saumon en petits dés. Ajouter l'échalote, le jus et le zeste de citron, l'huile d'olive et la moutarde. Mélanger et assaisonner au goût. Réserver au réfrigérateur.

Purée d'avocat

2. Dans un autre bol, écraser la chair des avocats à la fourchette avec la crème et le jus de citron. Saler et poivrer.

3. Mélanger le tartare de saumon à la purée d'avocat.

4. Servir dans des petites assiettes, décorer de fraises et accompagner de croûtons ou de biscottes.

Valeurs nutritives pour 1 portion
Protéines 26 g — **Lipides** 33 g — **Glucides** 15 g — **Calories** 453

Les valeurs sont calculées selon le FCÉN (Fichier canadien sur les éléments nutritifs).

TRUITE À L'ÉRABLE EN CROÛTE D'AMANDE

— PORTIONS **4** —
— TEMPS DE PRÉPARATION **15 MIN.** —
— TEMPS DE CUISSON **10 MIN.** —

Ingrédients

- 650 g (1 1/2 lb) de filets de truite, sans la peau, coupés en bâtonnets
- 30 ml (2 c. à soupe) de sirop d'érable
- 15 ml (1 c. à soupe) de graines de moutarde
- 15 ml (1 c. à soupe) de graines de coriandre
- 80 ml (¹/₃ tasse) d'amandes effilées
- sel et poivre

Préparation

1. Préchauffer le four à 230 °C (450 °F). Huiler une plaque de cuisson.

2. Badigeonner les morceaux de truite de sirop d'érable. Saler et poivrer. Réserver.

3. À l'aide d'un mortier ou d'un moulin à café, broyer les graines de moutarde, les graines de coriandre et les amandes en un mélange plus ou moins fin.

4. Enrober chaque morceau de poisson du mélange et déposer sur la plaque. Cuire au four environ 10 minutes, selon l'épaisseur des bâtonnets, ou jusqu'à une cuisson rosée.

5. Servir avec une salade verte.

Valeurs nutritives pour 1 portion
Protéines 37 g — **Lipides** 17 g — **Glucides** 10 g — **Calories** 338

Les valeurs sont calculées selon le FCÉN (Fichier canadien sur les éléments nutritifs).

BARRES COLLATION AUX LENTILLES

— PORTIONS **18 BARRES ENVIRON** —
— TEMPS DE PRÉPARATION **10 MIN.** —
— TEMPS DE CUISSON **40 MIN.** —

Ingrédients

- 1 boîte de 398 ml de lentilles, égouttées
- 500 ml (2 tasses) de compote de pommes, non sucrée
- 250 ml (1 tasse) d'huile d'olive
- 125 ml (½ tasse) de cassonade
- 250 ml (1 tasse) d'amandes en poudre
- 250 ml (1 tasse) de graines de lin moulues
- 1 L (4 tasses) de flocons d'avoine à cuisson rapide
- 250 ml (1 tasse) de caroube en poudre

Préparation

1. Préchauffer le four à 180 °C (350 °F). Tapisser une plaque de cuisson de papier parchemin.

2. Dans un grand bol, bien mélanger tous les ingrédients. Presser sur la plaque à une épaisseur d'environ 2,5 cm (1 po).

3. Cuire au four pendant environ 40 minutes. Laisser refroidir avant de couper en barres.

Valeurs nutritives pour 1 barre
Protéines 7 g — **Lipides** 20 g — **Glucides** 35 g — **Calories** 337

Les valeurs sont calculées selon le FCÉN (Fichier canadien sur les éléments nutritifs).

|||||||||||||||||||||||||||||||||||||||

BISCUITS AU CHOCOLAT

— PORTIONS **4 À 5 BISCUITS** —
— TEMPS DE PRÉPARATION **15 MIN.** —
— TEMPS DE CUISSON **10 MIN.** —

Ingrédients

- 45 ml (3 c. à soupe) de pépites de caroube
  non sucrées

- 45 ml (3 c. à soupe) de lait d'amande non sucré

- 80 ml (⅓ tasse) de noix au choix

- 80 ml (⅓ tasse) de poudre de protéines
  (lactosérum*) au chocolat

- 2,5 ml (½ c. à thé) de poudre à pâte

- 15 ml (1 c. à soupe) de pépites de
  caroube sucrées

Préparation

1. Préchauffer le four à 180 °C (350 °F). Tapisser une plaque de cuisson de papier parchemin.

2. Dans un bol, faire fondre le caroube non sucré dans le lait d'amande au four à micro-ondes.

3. Pendant ce temps, réduire les noix en poudre au moulin à café ou au mortier.

4. Dans un bol, mélanger les noix moulues avec la poudre de protéines et la poudre à pâte. Ajouter le mélange de caroube fondu et mélanger. Ajouter les pépites de caroube sucrées à la préparation avant de façonner les boules de pâte.

5. Déposer 4 ou 5 petites boules de pâte sur la plaque. Cuire au four pendant environ 10 minutes ou jusqu'à ce que les biscuits soient gonflés.

* Note : Poudre de protéines : lactosérum (Whey)
disponible au www.cliniquemartinallard.com

Valeurs nutritives pour 1 biscuit
Protéines 13 g — **Lipides** 8 g — **Glucides** 8 g — **Calories** 150

Les valeurs sont calculées selon le FCÉN (Fichier canadien sur les éléments nutritifs).

BOUCHÉES SANTÉ SANS CUISSON

— PORTIONS **16 BOUCHÉES** —
— TEMPS DE PRÉPARATION **15 MIN.** —

Ingrédients

- 250 ml (1 tasse) de flocons d'avoine à cuisson rapide
- 180 ml (¾ tasse) de beurre d'arachide naturel ou de beurre d'amande
- 125 ml (½ tasse) de miel crémeux
- 125 ml (½ tasse) de noix au choix, hachées
- 125 ml (½ tasse) de caroube en poudre

Préparation

1. Dans un bol, mélanger tous les ingrédients avec les doigts jusqu'à ce qu'une boule de pâte se forme.

2. À l'aide d'une cuillère à crème glacée, former des boules d'environ 30 ml de pâte chacune. Conserver au réfrigérateur.

Valeurs nutritives pour 1 bouchée
Protéines 5 g — **Lipides** 8 g — **Glucides** 19 g — **Calories** 158

Les valeurs sont calculées selon le FCÉN (Fichier canadien sur les éléments nutritifs).

BROWNIES

— PORTIONS **6** —
— TEMPS DE PRÉPARATION **30 MIN.** —
— TEMPS DE CUISSON **45 MIN.** —

Ingrédients

- 125 ml (½ tasse) de cacao en poudre
- 30 ml (2 c. à soupe) d'amandes en poudre
- 0,5 ml (⅛ c. à thé) de sel
- 5 ml (1 c. à thé) de poudre à pâte
- 5 ml (1 c. à thé) de gomme de xanthane
- 125 ml (½ tasse) de protéines en poudre au chocolat (voir note page 142)
- 125 ml (½ tasse) de noix de Grenoble
- 6 blancs d'œufs
- 1 œuf
- 375 ml (1 ½ tasse) de fromage ricotta 1 %
- 375 ml (1 ½ tasse) de yogourt grec nature 2 %
- 2,5 ml (½ c. à thé) d'essence de vanille

Préparation

1. Préchauffer le four à 180 °C (350 °F). Beurrer un moule carré de 22,5 x 22,5 cm (9 x 9 po) et tapisser le fond de papier parchemin.

2. Dans un bol, bien mélanger le cacao, les amandes en poudre, le sel, la poudre à pâte, la gomme de xanthane, la poudre de protéines et les noix en conservant 30 ml (2 c. à soupe) de noix à part.

3. Dans un autre bol, fouetter les blancs d'œufs, l'œuf, la ricotta, le yogourt et la vanille au batteur électrique jusqu'à ce que le mélange soit mousseux. Ajouter les ingrédients secs et bien mélanger. Verser la pâte dans le moule et garnir de noix de Grenoble.

4. Cuire au four pendant environ 45 minutes ou jusqu'à ce qu'un cure-dents inséré au centre du brownie ressorte plus ou moins propre.

5. Laisser refroidir complètement avant de démouler et de couper.

COULIS DE CHOCOLAT

Ingrédients

- 45 ml (3 c. à soupe) de protéines en poudre au chocolat
- 45 ml (3 c. à soupe) de beurre d'arachide naturel, croquant
- 125 à 180 ml (½ à ¾ tasse) d'eau

Préparation

1. Dans une petite casserole, mélanger tous les ingrédients en chauffant à feu moyen jusqu'à ce que le mélange soit homogène.

2. Servir sur le brownie ou en accompagnement.

Valeurs nutritives pour 1 brownie
Protéines 36 g — **Lipides** 14 g
Glucides 16 g — **Calories** 317

Les valeurs sont calculées selon le FCÉN (Fichier canadien sur les éléments nutritifs).

MINI MUFFINS CHOCO BANANE

— PORTIONS **12 MINI MUFFINS** —
— TEMPS DE PRÉPARATION **15 MIN.** —
— TEMPS DE CUISSON **10 MIN.** —

Ingrédients

- 1 banane très mûre, pelée

- 2 œufs

- 125 ml (½ tasse) de beurre d'arachide

- 80 ml (1/3 tasse) de poudre de cacao

- 30 ml (2 c. à soupe) de sirop d'érable

- 5 ml (1 c. à thé) d'essence de vanille

- 1,25 ml (¼ c. à thé) de poudre à pâte

- Quelques pépites de caroube

Préparation

1. Préchauffer le four à 200 °C (400 °F).

2. Au mélangeur, réduire tous les ingrédients en purée lisse, sauf les pépites.

3. Répartir la préparation dans des moules à mini-muffins en silicone. Décorer chaque muffin avec 2 ou 3 pépites de caroube.

4. Cuire au four pendant 10 à 12 minutes, ou jusqu'à ce qu'un cure-dents inséré dans un muffin ressorte propre.

Valeurs nutritives pour 2 mini muffins
Protéines 9 g — **Lipides** 14 g — **Glucides** 18 g — **Calories** 213

Les valeurs sont calculées selon le FCÉN (Fichier canadien sur les éléments nutritifs).

MUFFINS AU BEURRE D'ARACHIDE ET AU QUINOA

— PORTIONS **6 MUFFINS** —
— TEMPS DE PRÉPARATION **15 MIN.** —
— TEMPS DE CUISSON **20 MIN.** —

Ingrédients

- 45 ml (3 c. à soupe) d'huile de coco
- 45 ml (3 c. à soupe) de beurre d'arachide
- 15 ml (1 c. à soupe) de sirop d'érable
- 1 œuf
- 375 ml (1 ½ tasse) de farine d'avoine
- 125 ml (½ tasse) de flocons d'avoine à cuisson rapide
- 5 ml (1 c. à thé) de poudre à pâte
- 1 pincée de sel
- 125 ml (½ tasse) de lait de coco ou de lait d'amande non sucré
- 80 ml (⅓ tasse) de quinoa cuit et refroidi
- Pépites de caroube non sucrées pour décorer

Préparation

1. Préchauffer le four à 200 °C (400 °F).

2. Dans un bol, mélanger tous les ingrédients.

3. Répartir la pâte dans 6 moules à muffin. Cuire au four environ 20 minutes ou jusqu'à ce qu'un cure-dents inséré au centre ressorte propre.

4. Une fois refroidis, décorer les muffins avec des pépites de caroube, si désiré.

Truc: Si vous ne trouvez pas de farine d'avoine, vous pouvez réduire des flocons d'avoine en farine au mélangeur.

Valeurs nutritives pour 1 muffin
Protéines 9 g — **Lipides** 18 g — **Glucides** 33 g — **Calories** 326

Les valeurs sont calculées selon le FCÉN (Fichier canadien sur les éléments nutritifs).

▮▮▮▮▮▮▮▮▮▮

TRUFFES AU CHOCOLAT ET À L'ORANGE OU À LA MENTHE

— PORTIONS **6 TRUFFES** —
— TEMPS DE PRÉPARATION **30 MIN.** —
— TEMPS DE CUISSON **30 MIN.** —

Ingrédients de base

- 30 ml (2 c. à soupe) d'huile de coco
- 45 ml (3 c. à soupe) de beurre de coco
- 30 ml (2 c. à soupe) de beurre d'amande
- 1,25 ml (¼ c. à thé) d'extrait de vanille

POUR LES TRUFFES À L'ORANGE

- 30 ml (2 c. à soupe) de poudre de cacao
- 15 ml (1 c. à soupe) de sirop d'érable
- Le zeste d'une orange
- 60 ml (¼ tasse) de noix de coco râpée non sucrée pour la finition

POUR LES TRUFFES À LA MENTHE

- 30 ml (2 c. à soupe) de poudre de cacao
- 1,25 ml (¼ c. à thé) d'extrait de menthe
- 15 ml (1 c. à soupe) de sirop d'érable
- 15 ml (1 c. à soupe) de pépites de caroube sucrées
- 60 ml (¼ tasse) de poudre de cacao

Préparation

1. Dans un bol, mélanger les ingrédients de la base au batteur électrique jusqu'à ce que le mélange soit homogène.

Pour les truffes à l'orange

2. Pour faire des truffes à l'orange, ajouter à la base 30 ml de poudre de cacao, le sirop d'érable, le zeste d'orange et mélanger vigoureusement.

3. Réfrigérer 30 minutes. Avec les mains, former des boules de 2 cm (1 po). Rouler les boules dans la noix de coco pour bien les enduire. Placer sur une assiette et réfrigérer.

Pour les truffes à la menthe

4. Pour faire des truffes à la menthe, ajouter à la base 30 ml de poudre de cacao, l'extrait de menthe, le sirop d'érable, les pépites de caroube et mélanger vigoureusement.

5. Réfrigérer 30 minutes. Avec les mains, former des boules de 2 cm (1 po). Rouler les boules dans le cacao pour bien les enduire. Placer sur une assiette et réfrigérer.

Conserver au réfrigérateur jusqu'au moment de servir.

Valeurs nutritives pour 1 truffe à l'orange
Protéines 2 g — **Lipides** 16 g — **Glucides** 7 g — **Calories** 165

Valeurs nutritives pour 1 truffe à la menthe
Protéines 3 g — **Lipides** 14 g — **Glucides** 9 g — **Calories** 154

Les valeurs sont calculées selon le FCÉN (Fichier canadien sur les éléments nutritifs).

PITA AU THON

— PORTIONS **4** —
— TEMPS DE PRÉPARATION **15 MIN.** —

Ingrédients

- 2 boîtes de 170 g de thon pâle, égoutté
- 2 oignons verts, émincés
- 2 branches de céleri, coupées en petits dés
- 80 ml (¹/₃ tasse) de mayonnaise
- 30 ml (2 c. à soupe) de salsa du commerce
- 5 ml (1 c. à thé) de poudre de cari
- 5 ml (1 c. à thé) de jus de citron
- 125 ml (½ tasse) de mozzarella partiellement écrémé, râpé
- 4 pitas de blé entier ou multigrain
- Sel et poivre
- 4 feuilles de laitue

Préparation

1. Dans un bol, mélanger le thon, les oignons verts, le céleri, la mayonnaise, la salsa, le cari, le jus de citron et le fromage. Saler et poivrer au goût.

2. Couper les pains pita en deux et y étendre la préparation au thon.

3. Garnir d'une feuille de laitue.

Valeurs nutritives pour 1 pita
Protéines 27 g — **Lipides** 19 g — **Glucides** 38 g — **Calories** 416

Les valeurs sont calculées selon le FCÉN (Fichier canadien sur les éléments nutritifs).

SALADE EN POT

CHOISIR PARMI CES SUGGESTIONS POUR ÉTAGER VOS SALADES.

Ingrédients

PROTÉINES

- poulet cuit
- œufs durs
- saumon ou thon en boîte
- crevettes nordiques
- jambon en petits dés
- pois chiches, lentilles, haricots

LÉGUMES

- brocoli en petits bouquets ou chou émincé
- haricots cuits
- carotte râpée
- tomates cerises
- pois sucrés
- avocat en dés
- radis tranchés
- céleri émincé

NOIX OU GRAINES

- amandes effilées
- noix de Grenoble
- pacanes
- graines de citrouille
- quinoa cuit

FROMAGE

- feta ou perles de bocconcini
- parmesan râpé
- fromage bleu émietté
- cheddar en dés

FRUITS OU FEUILLAGES

- raisins secs, canneberges séchées, dattes
- orange, raisins frais, pomme ou poire en julienne, boules de melon
- laitues ou feuillages : roquette, cresson, laitue, endives, épinards
- herbes fraîches: coriandre, persil, sarriette, basilic, menthe

Préparation

1. Ajouter une vinaigrette au choix (sans sucre ajouté) ou de l'huile d'olive, de la moutarde de Dijon et du vinaigre balsamique.

Source: www.canalvie.com

Les valeurs sont calculées selon le FCÉN (Fichier canadien sur les éléments nutritifs).

TORTILLA À L'HUMUS ET AU THON

— PORTIONS **4** —
— TEMPS DE PRÉPARATION **10 MIN.** —

Ingrédients

- **4 tortillas**

- **humus au goût**

- **2 boîtes de 170 g de thon, égouttées**

- **8 petites feuilles de laitue**

- **4 carottes, râpées**

- **8 tranches de tomate**

- **1 poivron, coupé en lanières**

Préparation

1. Étendre l'humus sur la tortilla.

2. Déposer le thon, la laitue, les carottes, les tranches de tomates puis le poivron sur la tortilla. Rouler.

Valeurs nutritives pour 1 tortilla
Protéines 23 g — **Lipides** 7 g — **Glucides** 31 g — **Calories** 271

Les valeurs sont calculées selon le FCÉN (Fichier canadien sur les éléments nutritifs).

JUS VERT DÉLICIEUX

— PORTIONS **4 À 8** —

— TEMPS DE PRÉPARATION **10 MIN.** —

Ingrédients

- **12 branches de céleri**

- **4 concombres anglais**

- **8 grosses feuilles de chou kale**

- **4 pommes vertes**

- **125 ml (½ tasse) de feuilles de menthe fraîche**

Préparation

1. Laver soigneusement les légumes et les pommes. Découper en morceaux. Passer tous les ingrédients à l'extracteur à jus. Servir.

Valeurs nutritives pour 1 portion

Protéines 4 g — **Lipides** 1 g — **Glucides** 32 g — **Calories** 139

Les valeurs sont calculées selon le FCÉN (Fichier canadien sur les éléments nutritifs).

SMOOTHIE IRRÉSISTIBLE

— PORTIONS **4** —
— TEMPS DE PRÉPARATION **5 MIN.** —

Ingrédients

- 500 ml (2 tasses) de petits fruits surgelés,
  sans sucre ajouté

- 750 ml (3 tasses) de lait d'amande
  à la vanille ou au chocolat, non sucré

- 125 ml (½ tasse) de graines de chia blanches

- 60 ml (¼ de tasse) de feuilles
  de menthe fraîche

Préparation

1. Au mélangeur, réduire tous les ingrédients
en purée lisse. Servir immédiatement.

Valeurs nutritives pour 1 portion
Protéines 6 g — **Lipides** 8 g — **Glucides** 21 g — **Calories** 154

Les valeurs sont calculées selon le FCÉN (Fichier canadien sur les éléments nutritifs).

INDEX DES RECETTES

BIBLIOGRAPHIE

Introduction

Source: publications.gc.ca/Collection-R/Stat-can/82-003-XIF/82-003-XIF2005003.pdf (p. 41)

Les bienfaits de cette alimentation
www.richardbeliveau.org

Le déjeuner

Marie Breton, diététiste, Coup de pouce, octobre 2013.

Le dîner et le souper

Naturopathe des stars – Secrets d'artistes pour être au top! de Martin Allard, Les Éditions Lacroix.

Doerge, D.R. et al. Goitrogenic and Estrogenic Activity of Soy Isoflavones. Environmental Health Perspectives, 2002, 100(3): 349-353.

Conrad, S.C. et al. Soy Formula Complicates Management of Congenital Hypothyroidism. Archives of Diseases in Childhood, 2004, 89: 37-40.

www.statcan.gc.ca/pub/82-003-x/2011003/article/11540/tbl/tbl2-fra.htm

www.sugar.ca/Nutrition-Information-Service/Health-professionals/Dietary-Guidelines-About-Sugar.aspx

Les jus de fruits
www.nouvelles.gc.ca/web/article-fr.do?nid=977959

www.consoglobe.com

Les produits laitiers: entre le mythe et la réalité

www.hsph.harvard.edu

http://quebec.huffingtonpost.ca/2013/08/05/lait-bon-mauvais-sante_n_3708896.html

Ceglia, L., Harris, S.S., Abrams, S.A. et al. Potassium bicarbonate attenuates the urinary nitrogen excretion that accompanies an increase in dietary protein and may promote calcium absorption. Journal of Clinical Endocrinoly & Metabolism, déc. 2008. Texte intégral : jcem.endojournals.org Passeportsanté.net

L'Union des producteurs agricoles (UPA).

Mon enfant doit-il prendre des suppléments?

Wang, C., Chung, M., Liechtenstein, A., Balk, E. et al. Effects of Omega-3 Fatty Acids on Cardiovascular Disease. AHRQ Publication No. 04-E009-2. Rockville, MD: Agency for Healthcare Research and Quality. Mars 2004.

www.ascentaprofessional.com/fr/science/articles/les-enfants-ont-besoin-depa-de-dha-de-gla-et-de-vitamine-d-pour-%C3%AAtre-en-sant%C3%A9_
Lindmark, L. et Clough, P. A 5-Month Open study with Long-Chain Polyunsaturated Fatty Acids in Dyslexia. Journal of Medicinal Food, 2007, 10:662-666.

Sorgi, P.J., Hallowell, E.M., Hutchins, H.L. et Sears, B. Effects of an open-label pilot study with high-dose EPA/DHA concentrates on plasma phospholipids and behavior in children with attention deficit hyperactivity disorder. Nutritional Journal, 2007, 6:16.

Le TDA/H (Trouble du déficit de l'attention avec ou sans hyperactivité)

www.cerc-neuropsy.com/fr/mieux-comprendre/tdah-et-medication

Neuropsychopharmacology. 19 mars 2015. doi: 10.1038/npp.2015.73. [Epub ahead of print]

Reduced Symptoms of Inattention after Dietary Omega-3 Fatty Acid Supplementation in Boys with and without Attention Deficit/Hyperactivity Disorder.

Bos DJ[1], Oranje B[1], Veerhoek ES[1], Van Diepen RM[1], Weusten JM[1], Demmelmair H[2], Koletzko B[2], de Sain-van der Velden MG[3], Eilander A[4], Hoeksma M[4], Durston S[1].

- [1] NICHE Lab, Department of Psychiatry, Brain Center Rudolf Magnus, University Medical Center Utrecht, Utrecht, The Netherlands.

- [2] Division of Metabolic and Nutritional Medicine, University of Munich Medical Center, Dr von Hauner Children's Hospital, Munich, Germany.

- [3] Department of Medical Genetics and Wilhelmina Children's Hospital, University Medical Center Utrecht, Utrecht, The Netherlands.

- [4] Unilever Research & Development, Vlaardingen, The Netherlands.

Schuchardt, J.P., Huss, M., Stauss-Grabo, M. et Hahn, A. Significance of long-chain polyunsaturated fatty acids (PUFAs) for the development and behaviour of children. European Journal of Pediatric, févr. 2010,169(2):149-164.

Johnson, M., Månsson, J.E., Ostlund, S. et al. Fatty acids in ADHD: plasma profiles in a placebo-controlled study of Omega 3/6 fatty acids in children and adolescents. Attention Deficit Hyperactive Disorder, déc. 2012, 4(4):199-204.

www.nouvelles.umontreal.ca

Nos enfants: otages de la publicité

www.opc.gouv.qc.ca/fileadmin/media/documents/consommateur/bien-service/index-sujet/guide-application.pdf

Le culte de la minceur

Statistique Canada.